JN114391

フランスの子どもの歌Ⅱ 50選

―読む楽しみ―

三木原 浩史　吉田 正明

CHOEISHA

はじめに

本著は、書名が示すとおり、三木原浩史著『フランスの子どもの歌50選―読む楽しみ―』〔鳥影社、2021年4月発行〕の続編をなすものだ。ただ、何百曲もあるフランスの「子どもの歌」から、私見で、新たに50曲を選ぶのはむつかしい。前著では、フランスからでているある1枚のCDに収録された童謡48曲のうちから1曲を除き、個人的好みから3曲付け加えて50曲とした。目次も、1曲目から47曲目まではCDの録音順なので、選曲も曲順もレコード会社のコンセプト任せ、といったところだった。

今回、続編を執筆するにあたり、まず本著の後ろに付した参考文献資料「II.フランスの歌詞楽譜付き童謡絵本集」7冊のうちから、ついでフランスで購入した手持ちの2種のCD4枚組童謡集、――「I.フランス語文献資料㉑㉒」、―から、前著で採りあげなかった歌で、より詳細な歌詞が参考文献資料「I.フランス語文献資料」で確認できたもののみを採用し、計50曲とした。

目次の曲順だが、遊び心から、子どもの大好きなお菓子をテーマにした歌を最初と最後に配し、その他2曲目から49曲目までをタイトルのアルファベット順に並べた。従って、掲載曲（歌）の有無・該当頁は容易にわかるので、INDEXは付さなかった。

また、前著『フランスの子どもの歌50選―読む楽しみ―』は三木原浩史の単著だったが、本著は三木原と吉田正明による共著形式である。共著といえば、ふつうは共著者たちによる分担執筆の集成をさすが、本著は違う。

まず、三木原がほぼ完成原稿に近い草案を作成し、つぎに、その草案を吉田が検討し、必要に応じ、自由に補筆、あるいは修正した。さらに、その箇所を、三木原が元の草案に組みこみ、文体の統一をはかった。そして、最後にもういちど、吉田が全体に目を通し、微調整をし、「完成稿」とした。ゆえに、本著は分担執筆ではなく、全篇に亘る正真正銘の「共著」である。

19世紀フランス詩の研究者である吉田の「詩」の読み方、考察、分析は、民衆歌謡という、世俗の、いわば素朴ではあるが粗野な「歌詞」に、——とはいえ、これも一種の「詩」だ、——思いがけない発見をもたらし、新しい視点から光を当てることになった。とくに、音声にして初めてわかる微妙な「面白さ」、——滑稽さ、卑猥さ、——など、ちょっとした驚きである。

ところで、「子どもの歌」といっても、フランスの中世・近世に、子どもの概念があったわけではない。当時、子どもは「小さな大人」だった。近代になって、おそらく18世紀以降、しだいに子どもという概念は、——それも、偏った見方、純粋無垢で守られねばならない存在として、——醸成されて行くが、法律で子どもの概念が明確に規定されるのは、1833年に初等教育に関する「ギゾー法」が制定されてからである。それ以後、それまでの民衆歌謡の、——「子どもの歌」も「大人の歌」も区別がなかった、いや、そもそも「子どもの歌」など存在しなかった時代の、——ほとんど作者不詳の歌詞の多くが、教育的配慮の名のもとに、人畜無害な差し障りのないことばやフレーズに書き換えられていった。そのことで、人間の本性である赤裸々な欲望や愚かさや猥雑さは見えにくくなったが、いや、意図的に隠蔽（いんぺい）されたといってもよいが、すべてが消えたわけではない。丁寧に歌詞を読み取り、元歌をたどることで、歌にこめられた真相は炙（あぶ）りだされるだろう。それはまた、人間理解へのアプローチのひとつでもある。

わたしたちの共同作業は、1年あまりを費やし、時間はかかったが、楽しかった。見解の相違は、そのつどの意見交換で解決し、トラブルにはならなかった。じつに幸せだったといえよう。あとは、すべて、読者の皆さまの感想に委ねることにしよう。

（文責・三木原）

フランスの子どもの歌Ⅱ 50選

― 読む楽しみ ―

目次

以下、最初と最後に子どもの大好きな「お菓子」がテーマの歌を配した以外は、２曲目から４９曲目まで、曲名のアルファベット順にならべている。ただし、定冠詞は省いて各曲名の最後に括弧で付記し、不定冠詞は数詞も兼ねるので、順序としてＵの項に置いた。INDEX は不要と判断し、添えていない。

フランスの子どもの歌II 50選
― 読む楽しみ ―

1. *J'aime la galette*
わたしは、ガレットが好き

J'aime la galette,
Savez-vous comment ?
Quand elle est bien faite
Avec du beurre dedans.
Tra la la la la la la la lère,
Tra la la la la la la la la. } (*bis*)

わたしは、ガレットが好き、
あなたたち、それがどのようなガレットか知ってる？
ガレットが上手に作られたら
バターをなかにいれて。
トラ・ラ・ラ・ラ・ラ・ラ・ラ・ラ・レール、
トラ・ラ・ラ・ラ・ラ・ラ・ラ・ラ・ラ。 } (*bis*)

〔資料II - 7〕

galette（ガレット）は、小麦粉、バター、卵を原料にオーブンで焼いた円く平たいケーキのこと〔小学館ロベール仏和大辞典〕。ここでは、公現祭の祝い菓子 galette des Rois（ガレット・デ・ロワ）のことをさしている。フランス人は、中世以来、伝統的に「公現祭」、――東方の三博士の嬰児（みどりご）イエス訪問を記念する日、つまり 1 月 6 日、――を祝ってこの菓子を食べる。切り分けられた自分のケーキに空豆や陶製の人形がはいっていたら、そのひとが一座の王様、あるいは女王様になり、紙の王冠をかぶる〔Cf. ディコ仏和辞典（白水社）〕。その公現祭の日にうたうのが「わたしは、ガレットが好き」（*J'aime la galette*）だ。

なお、公現祭のフランス語表記は Épiphanie（エピファニー）、定冠詞をつけると l'Épiphanie（レピファニー）だが、もっと具体的に le jour des Rois（王様たちの日）とか、la fête des Rois（王様たちの祝日）と表現してもよい。

路易（るい）ちゃんの甘い思い出

吉田正明は、1991 年から 1992 年にかけての 10 カ月間、文部省の在外研究で、家族でアンジェに滞在しました。当時 5 歳だった息子の路易は、アンジェのヴォルテール幼稚園に初めての日本人としてはいりましたが、1 月 6 日のエピファニー当日のこと、各家庭から、子どもたちは材料を持ち寄り、ガレットを作り、切り分けて、みんなではしゃぎながら食べました。ところが、なんという幸運、路易のガレットのなかに「陶製の小さな人形」がはいっていたのです。息子が、王様となったのです。金の王冠と錫杖（しゃくじょう）をもち、好きな女の子を女王に選ぶ特権を与えられたのです。息子は、もう大喜びです。指名したのは、もちろん意中の可愛い金髪娘、ファニーちゃん。ちなみに、あの日、息子にもたせた材料は「砂糖」でした。担任のイヴェット先生のあらかじめの指示によるもので、いまも折にふれてよみがえる、懐かしく「甘い」思い出です。

2. *Ah ! Mon beau château*
ああ！私の美しいお城

1. (A) Ah ! Mon beau château,
Ma tant', tire, lire, lire,
Ah ! Mon beau château,
Ma tant', tire, lire, lo.
(B) Le nôtre est plus beau,
Ma tant', tire, lire, lire,
Le nôtre est plus beau,
Ma tant', tire, lire, lo.
(A) ああ！　私の美しいお城、
マ・タン・ティル・リル・リル、
ああ！　私の美しいお城、
マ・タン・ティル・リル・ロ。
(B) 私たちのお城はもっと美しい、
マ・タン・ティル・リル・リル、
私たちのお城はもっと美しい、
マ・タン・ティル・リル・ロ。

2. (A) Nous le détruirons,
Ma tant', tire, lire, lire,
Nous le détruirons,
Ma tant', tire, lire, lo.
(B) Laquell' prendrez-vous ?
Ma tant', tire, lire, lire,
Laquell' prendrez-vous ?

Ma tant', tire, lire, lo.

(A) 私たち、あなたたちの城を破壊するぞ、
マ・タン・ティル・リル・リル、
私たち、あなたたちの城を破壊するぞ、
マ・タン・ティル・リル・ロ。

(B) あなたたち、どの娘を奪うつもり？
マ・タン・ティル・リル・リル、
あなたたち、どの娘を奪うつもり？
マ・タン・ティル・リル・ロ。

3. (A) Celle que voici,
Ma tant', tire, lire, lire,
Celle que voici,
Ma tant', tire, lire, lo.

(B) Qu' lui donnerez-vous ?
Ma tant', tire, lire, lire,
Qu' lui donnerez-vous ?
Ma tant', tire, lire, lo.

(A) ほら、そこにいる娘だ、
マ・タン・ティル・リル・リル、
ほら、そこにいる娘だ、
マ・タン・ティル・リル・ロ。

(B) あなたたち、その娘になにを贈るの？
マ・タン・ティル・リル・リル、
あなたたち、その娘になにを贈るの？
マ・タンティル・リル・ロ。

4. (A) De jolis bijoux,
Ma tant', tire, lire, lire,
De jolis bijoux,
Ma tant', tire, lire, lo.
(B) Nous en voulons bien,
Ma tant', tire, lire, lire,
Nous en voulons bien,
Ma tant', tire, lire, lo.
(A) きれいな宝石さ、
マ・タン・ティル・リル・リル、
きれいな宝石さ、
マ・タン・ティル・リル・ロ。
(B) 私たち、いただくわ、
マ・タン・ティル・リル・リル、
私たち、いただくわ、
マ・タン・ティル・リル・ロ。

〔資料⑬〕

マルティーヌ・ダヴィッドとアンヌ＝マリ・デルリューによれば、現在うたわれている旋律は、18世紀のヴォードヴィルのひとつ、『叙情的なミューズ』(*La Muse lyrique*, 1782) のなかの楽譜によっているという〔資料②〕。また、マルタン・ペネは、具体的にシャンソン「こんなふうにするの」(*Ainsi font, font, font*) の曲にのせてうたうと明記している〔資料⑬〕。つまり、前者の曲の正体は、よく知られた後者の曲だ。

歌詞の起源はもっと古く、貴族たちが封土を守るためや、あるいは隣接する領地を併合するために、しばしば交戦していた封建時代に遡るという〔資料⑦〕。これにまつわるエピソードは興味深く、歌の理解に役立つだろう。マルティーヌ・ダヴィッド、アンヌ＝マリ・デルリュー共著の記述にそって以下に概略を示す。

*

アンゲラン（Enguerrand）とフェイエル（Fayel）という２貴族の城が隣り合っていた。一方は城のゴティック式の小塔を、他方は城の最新の建築様式を、それぞれ自慢していた。競い合う２貴族は、ついに戦闘を始める。アンゲランには多くの臣下がいて、フェイエルの城を攻撃する。フェイエルは、少数精鋭の勇敢な臣下を駆使して、果敢に防戦する。そこで、アンゲランはフェイエルの兵士たちを買収し、フェイエルを捕らえさせ、城を取り壊させる。しかし、３人目の貴族が現れて、アンゲランの城を攻囲し、占領し、破壊する。打ちのめされたアンゲランを見て、フェイエルは憐憫（れんびん）の情を抱き、２人は堅い友情を結び、１つの城を築城させ、自分たち２人のための城とする。そしてアンゲランはフェイエルの妹と、フェイエルはアンゲランの妹と結婚する。２つの城の２人の貴族がお互いの妹を娶（めと）って２組の夫婦になり、１つの城に住むという物語は、なぜか模範的な女の子たちを魅了し、安心させたという。ただ、歴史のなかに、この２貴族が実在したという証拠はないそうだ。〔Cf. 資料②〕

*

このロンド（輪踊り）は、(A) を歌うグループ（＝A 城の人びと）、(B) を歌うグループ（＝B 城の人びと）の２組に分かれ、それぞれの子どもたちは手を繋ぎ、同心円（お城の象徴）の輪を作り、うたいながら互いに反対方向に回る。歌詞４番で「私たち、いただくわ」といったときに、女の子が１人 B 組から離れ、A 組の輪に加わる。歌詞３～４番をくりかえしうたい、B 組がいなくなったとき、このロンドは終わる。

なお、実際には、歌詞 4 番 (B) のところで、いったん、次のような歌詞がはいるケースもある。

Nous n'en voulons pas,
Ma tant', tire, lire, lire,
Nous n'en voulons pas,
Ma tant', tire, lire, lo.

私たち、そんなものほしくないわ、
マ・タン・ティル・リル・リル、
私たち、そんなものほしくないわ、
マ・タン・ティル・リル・ロ。

そして、歌詞 4 番 (A) の「きれいな宝石」が、「きれいな靴」等々いろいろな贈り物に置き換えられる。なのに、それに応じる歌詞 (B) は、そのつど断わり、最後の最後になってようやく「私たち、いただくわ」(Nous en voulons bien) と、うたい終える。

ところで、ある資料では、このシャンソンは、ふつう女の子たちのための輪踊りだというが〔資料⑳ , Mama Lisa's World〕、YouTube の動画を見ると、男の子も女の子もいっしょになって遊び興じる姿が描かれている。実際には、性別の区別なく集まった子どもたちで楽しむロンドのひとつなのだろう。そういう想定で、歌詞の「1 人称・2 人称」及び「単数・複数」については、中性的に「私／私たち」「あなたたち」と訳した。

日本の遊び「はないちもんめ (花一匁)」に似ているかもしれ

ない。(A)(B) の２組に分かれた子どもたちが、それぞれ手を繋いで１列に並び、向かい合って、交互に次のようにうたう、――「(A) 勝って嬉しいはないちもんめ／(B) 負けて悔しいはないちもんめ／…／(A) あの子がほしい／(B) あの子じゃわからん／(A) この子がほしい／(B) この子じゃわからん／(A) 相談しよう／(B) そうしよう」、――。そしてそれぞれの組が「だれそれがほしい」と要求をだしあい、ジャンケンして決め、負けた方の子は、勝った方の組に移動して、どちらかの組がいなくなるまで続ける。

動作としては、シャンソン「ああ！　私の美しいお城」が輪舞なのにたいして、童歌「はないちもんめ」では、１列で前後に寄せては引く動作を繰り返す。(A) が「勝って嬉しいはないちもんめ」と一斉に前に進み、最後の音節「め」をうたいながら勢いよく足を蹴り上げるが、その間、(B) は同じ間隔を保ちながらおとなしく後退する。次に、今度は (B) が「負けて悔しいはないちもんめ」と一斉に前に進み、最後の音節「め」をうたいながら勢いよく足を蹴り上げ、その間、(A) は同じ間隔を保ちながらおとなしく後退する。

子どもたちは、単純に「あの子がほしい／この子がほしい」といっているとは限らず、子ども心に、本当に好きな子を、――男の子であれ、女の子であれ、――まずは要求するだろうから、しかも大声でうたいながらだから、けっこう盛り上がるものだ。

江戸時代、「値段が銀１匁の花を買う際に、値段をまけて悲しい売り手側と、安く買って嬉しい買い手側の様子がうたわれている」という説がひとつ〔資料⑲〕。

いまひとつは、隠された真相として、貧しい親が、子ども（主に女の子）を人買いに売る際に、安く値切られたことを嘆き、人買いは安い買い物ですんだと喜ぶ、人身売買にあるという説〔資料⑳〕。花の値は１匁（もんめ）、子どもの値も１匁！　本当なら、悲しい。

〔資料Ⅱ-4〕

3. *Ah ! vous dirai-je, maman !*
ああ！ママ、聞いて！

Ah ! vous dirai-je, maman,
Ce qui cause mon tourment ?
Papa veut que je raisonne
Comme une grande personne;
Moi, je dis que les bonbons
Valent mieux que les leçons.

ああ！　ママ、聞いて、
ぼくが悩んでるわけを？
パパは、ちゃんと考えなさいっていうの
おとなみたいにね。
でもぼくはいうよ、飴ちゃんのほうが
そんなお説教より、いいって。

〔資料⑬〕

この歌詞は、19世紀になってからの子ども用の平易なヴァージョンだが、この元歌 *La confidence*（打ち明け話）が出版されたのは、1740年のことだ。同年に、ジャン＝フィリップ・ラモー（Jean-Philippe Rameau,1683-1764) が、この魅力的なシャンソンに作曲したと、マルタン・ペネは記しているが〔資料⑬、資料II-4〕、確かでない。作詞作曲不詳が妥当だろう。ふつうは紹介したこの歌詞でうたう。

ジャン＝クロード・クランは、この歌の主題は、匿名の手になるベルジュレット（bergerette)、――18世紀に流行したロココ的牧歌趣味の軽い声楽曲〔小学館ロベール仏和大辞典〕、――に属すという〔資料③〕。つまり、「牧歌的な愛の歌」の一種だ。後にヴォルフガング・アマデウス・モーツァルト（Wolfgang Amadeus Mozart,1756-91）が、フランス滞在中の1778年に作曲した『フランス伝承歌謡「ああ！ママ、聞いて」によるピアノのための12の変奏曲ハ長調K.265/K.300e』(*Les douze variations en do majeur pour piano sur « Ah ! vous dirai-je, maman »*K.265/K.300e) をとおして、このメロディは一挙に有名になる。日本でもよく知られた「きらきら星変奏曲」だ。

世の父親は総じてみな、子どもにたいするときも大人のことばで、大人の理屈をいう。母親のように、子どもの視点で、幼児のことばでしゃべれないのだ。この歌でも、パパの「ちゃんと自分で考えなさい」、――直訳すれば「論理的に思考しなさい」、――に、子どもは「飴ちゃんのほうがいい」と、理性の領域とは違う嗜好の範疇から、子どもらしくパパをからかっている。いや、反論している。もちろん学校教育からいえば、はやく飴を卒業して、合理的判断を下せる人間になりなさいと教えているわけだが、そうなるといかにも抹香臭い！

元歌の *La confidence*（打ち明け話）からは、子ども用の歌として、これ以外にも沢山のヴァージョンが生まれた。たとえば、ウィキペディアには次の歌詞が紹介されている〔資料⑲〕。

Ah ! vous dirai-je, maman,
ce qui cause mon tourment.
Papa veut que je demande

de la soupe et de la viande...
Moi, je dis que les bonbons
valent mieux que les mignons.

ああ！　ママ、聞いて、
ぼくが悩んでいるわけを。
パパは、ちゃんと自分で頼みなさいっていうの
スープと肉を……
でもぼくはいうよ、飴ちゃんのほうが
ヒレ肉より、いいって。

最終詩行の les mignons が微妙だ。ここでの mignon は、2行上で de la viande（食用肉）がでてくるので、その関連でいえば、まずは filet mignon（牛のヒレ肉の先の部分）のことだろう。les mignons と複数定冠詞がついているのは、前行の les bonbons が「キャンディー一般（飴というもの）」を表しているのと同様、総称としての「ヒレ肉」をさしているからだ。

ただ、mignon は、形容詞〈mignon/mignonne〉（可愛らしい、愛らしい）から派生した男性名詞「可愛い男の子」の意味にもなり、愛情表現として呼びかける際の「坊や」にあたる。もちろん女性形は mignonne（可愛い女の子）で、呼びかけの訳語としては「お嬢ちゃん」だろうか。

ところで、1人称は男女どちらでも通用する。日本語では男女の区別をしなければならないし、YouTube の動画も、ロラン・サバティエのイラストも〔資料⑧〕、ほか手持ちの童謡絵本の挿絵も、なぜかみな男の子なので、一応、主人公を「ぼく」と訳したが、女の子「あたし」を脳裡（のうり）に思い描いたところ、思いがけな

い連想が生じた。最終詩行が、「でもあたしはいうわ、飴ちゃんのほうが可愛い男の子より、いいわって」とも読める！　二重読みだが、気持ちとは裏腹に反対のことを思わずいってしまう乙女の天邪鬼（あまのじゃく）な心性が感じられてきて、面白い。

いや、面白いどころではない。bonbon には俗語で「睾丸・きんたま」という意味があり、どの仏和辞典にものっている。下品を承知で意訳すれば、「でもあたしはいうわ、男の子は顔じゃないの、おチンチンよ」となる。あまりにもオマセな、いやそうではない、むしろ正直な女の子像だ。容貌より「男性」性を優先するというのだから。元歌が、人間の本性に素直な伝承歌謡だけに、ありえないことではない。現在の動画も童謡絵本も、みな「男の子」で描いているわけが、それとなくわかってきた。大人の余計な気遣いだけど。

すぐに脳裡に浮かんだのが、セルジュ・ゲンスブール（Serge Gainsbourg,1928-91）作詞作曲で、フランス・ギャル（France Gall,1947-2018）がうたった *Les Sucettes*（邦題「アニーとボンボン」）だ。sucette は、動詞 sucer（～を舐める、しゃぶる）から派生した女性名詞で、「棒付きキャンディー、［幼児の］おしゃぶり」のことだが、棒状の飴の舐め方からの連想だろう、文脈によっては「フェラチオ」の意味になるから、驚きだ。そのシャンソン *Les Sucettes* の歌詞 1 番に相当する部分だけ紹介しておこう。

Annie aime les sucettes,
Les sucettes à l’anis.
Les sucettes à l’anis

D’Annie
Donn’nt à ses baisers
Un goût ani-
Sé. Lorsque le sucre d’orge
Parfumé à l’anis
Coule dans la gorge d’Annie,
Elle est au paradis.

アニーは棒付きキャンディーが好き、
アニス風味の棒付きキャンディーが。
アニス風味の棒付きキャンディーは
アニーの
アニーのキスに添える
アニスの香りの
味を。その大麦飴が
アニス風味の
アニーの喉を流れると
アニーは天にも昇る心地になる。

女の子の名前アニー（Annie）はアニス（anis）との語呂合わせ。アニスは、セリ科の1年草で、果実を香辛料・薬用にする。菓子用語で「アニシーズ」といい、bonbon à l’anis（アニスキャンディー）、sorbet à l’anis（アニスシャーベット）などさまざま。le sucre d’orge（大麦糖・大麦飴）は、大麦の煮汁に砂糖を混ぜて煮詰めた棒状の菓子のことだ。〔小学館ロベール仏和大辞典〕

しかしそれは表向きのこと。冒頭「アニーは棒付きキャンディーが好き」は、いうまでもなくアニーはフェラチオが好きということ。また、「その大麦飴が／アニス風味の／アニーの喉を流れると／アニーは天にも昇る心地になる」は、精液を飲みこんだアニーが恍惚となるさまだ。以下、二重読みの卑猥な内容が続くが、もういいだろう。

とはいえ、シャンソン「ああ！ママ、聞いて！」は、表層的にはパパとママと子どもが三角関係を構成し、パパが権威を、ママが優しさを分担、そして小さな子どもは理性よりも飴を選ぶという、——ほどなく飴から理性へ移行していくだろうけど、——19 世紀ブルジョワ家庭の典型をうたった微笑ましい童謡だ。

*

さて、最後に、元歌 *La Confidence*（打ち明け話）を紹介しておこう。主人公は、あきらかに「女の子」だ。歌詞 1 番に登場する Silvandre は男性名だし、それを受けた最終行の「恋人なしに、生きていけるかしら？」の「恋人」が、amant と男性形になっていることでわかる。〔資料⑬他〕

1. Ah ! vous dirai-je, maman,
   Ce qui cause mon tourment ?
   Depuis que j'ai vu Silvandre
   Me regarder d'un œil tendre,
   Mon cœur dit à chaque instant:
   «Peut-on vivre sans amant ?»

   ああ！　お母さん、聞いてくれる、
   あたしが悩んでるわけを？
   あたしが目にしてからよ、シルヴァンドルが
   優しげな眼差しでこちらを見つめているのを、
   あたし、たえず心のなかでいってるの、

「恋人なしに、生きていけるかしら？」って。

2. L’autre jour, dans un bosquet,
De fleurs il fit un bouquet;
Il en para ma houlette,
Me disant:«Belle brunette,
Flore est moins belle que toi:
L’amour moins tendre que moi.»

先日、木立のなかで、
あのひと、花束を作ってくれたの。
その花束であたしの羊飼いの杖を飾ってくれて、
そしてこういったのよ：「褐色の髪の美しいお嬢さん、
花の女神（フローラ）もあなたほど美しくはなく、
愛の神（アモル）もぼくほど優しくはないよ」と。

3. Je rougis, et par malheur,
Un soupir trahit mon cœur.
Le cruel avec adresse
Profita de ma faiblesse;
Hélas ! maman, un faux pas
Me fit tomber dans ses bras.

あたしったら、顔を赤らめて、まずいことに、
心ならずも溜め息をひとつ漏らしたの。
あのひと、酷いのよ、巧みに、
あたしの弱みにつけこんだわ。
ああ！　お母さん、あたしよろめいた拍子に
あのひとの腕のなかに倒れこんでしまったの。

4. Je n'avais pour tout soutien
Que ma houlette et mon chien;
L'amour, voulant ma défaite,
Écarta chien et houlette;
Ah ! Qu'on goûte de douceur,
Quand l'amour prend soin du cœur.

あたしのお守りは
羊飼いの杖と犬だけだったわ。
愛が、あたしの逃げ道を必要としたので、
犬と羊飼いの杖を遠ざけたの。
ああ！　なんて甘美なのでしょう、
愛が心を大切に慈しむときは。

歌詞２番の bosquet（木立）は、資料⑬のマルタン・ペネ版では bouquet（木立）になっているが、デロワイユ〔資料⑮〕、アンリ・ダヴァンソン〔資料①〕等々の古い版では、すべて bosquet（木立）となっている。伝統的詩法に則れば、意味も綴りも同一の単語での押韻は避けられたので、――もっとも、1行目の bouquet が「木立」で２行目の bouquet が「花束」で意味は異なってはいるが、―― いちおう、マルタン・ペネの誤記と判断し、bosquet に修正した。

また、houlette（羊飼いの杖）とは、「先端に小さなシャベル状の鉄片がついており、群れから外れる羊に土塊や小石を投げつけて元に戻すのに使う」杖のこと〔小学館ロベール仏和大辞典〕。このことから、女性が羊飼い娘で、この歌が「牧歌」の一種だとわかる。

歌詞３番の faux pas は一義的には「踏み外し、つまずき、よろめき」を、二義的には「失敗、失策」を意味し、faire un faux pas で「足を踏み外す、つまずく、よろめく」→「過ちを犯す、失策する」の意味になる〔小学館ロベール仏和大辞典等〕。

そこで、歌詞の ...un faux pas／Me fit tomber dans ses bras. だが、あのひとを前にして、つまずいたかよろめいたかした拍子に、あのひとの腕のなかに倒れこんでしまったけど、それは偶然のことだったの、と母親に言い訳をしているとする解釈がひとつ。

ただ、このフランス語は、直訳すれば「……偽りの（ひとを欺く）一歩が／あたしをあのひとの腕のなかに倒れさせた」となる。娘は、相手に恋い焦がれている。どうしても抱擁のきっかけを作りたい。そこで、故意によろめいて（過ちを犯して）、あのひとの腕のなかに倒れ込こんだ、とするのがいまひとつの解釈。歌詞４番でそんな小細工を、娘みずから正当化しているではないか、「愛が、あたしの逃げ道（ma défaite）を必要としたので」と。défaite は、現在では「敗北、失敗、挫折」の意味だが、古くは「逃げ道、逃げ口上、口実」の意味でも使われた。娘は、母親の前で嘘の言い訳をしながら、本音ではあのひとにすべてを捧げることを望んでいたのだ。歌詞４番の「ああ！　なんて甘美なのでしょう」が証拠だ。この言葉が、プラトニックに留まるはずがない。

つまり、未詳の作者は un faux pas を、表向きは第一義的な意味を装い、娘が偶然よろめいた結果としながら、真相は第二義的な意味で、よろめいたのは欺きで、そのじつ進んで身を委ねたと仄めかしているのだ。母親には、虚偽の告白をするしかない。

この元歌「打ち明け話」は、18 世紀の上流階級でもてはやされたという〔資料③〕。うぶにみえる告白のなかにひそむ嘘の本音が、表立っての振る舞いは上品だが、そのじつ下世話な当時の紳士淑女の心性に共振したのだろう。

〔資料II-6〕

4. *À la volette*（*Mon petit oiseau*）
すばやく飛び回って（あたしの小鳥さん）

1. Mon petit oiseau
A pris sa volée } (*bis*)
A pris sa,
À la volette } (*bis*)
A pris sa volée.
あたしの小鳥さんが
飛び立ったわ } (*bis*)
すばやく、
すばやく飛び回って } (*bis*)
飛び立ったわ。

2. Est allé se mettre
Sur un oranger } (*bis*)
Sur un o,
À la volette } (*bis*)
Sur un oranger.
小鳥さんは止まりに行ったの
オレンジの木の上に } (*bis*)
オ…の木の上に、
すばやく飛び回って } (*bis*)
オレンジの木の上に。

3. La branche a cassé,
L'oiseau est tombé } (*bis*)

L'oiseau est,
À la volette } (*bis*)
L'oiseau est tombé.

その枝が折れて、
小鳥は落っこちたの } (*bis*)
小鳥は、
すばやく飛び回って } (*bis*)
小鳥は、落っこちたの。

4. Mon petit oiseau
Où t'es-tu blessé ? } (*bis*)
Où t'es-tu,
À la volette } (*bis*)
Où t'es-tu blessé ?

あたしの小鳥さん
あなたどこを怪我したの？ } (*bis*)
どこなの、
すばやく飛び回って } (*bis*)
あなたどこを怪我したの？

5. Me suis cassé l'aile
Et tordu le pied } (*bis*)
Et tordu,
À la volette } (*bis*)
Et tordu le pied.

ぼく、羽を折って
それから足をくじいたの } (*bis*)

くじいたの、 (bis)
すばやく飛び回って
足をくじいたの。

6. Mon petit oiseau, (bis)
Veux-tu te soigner ?
Veux-tu te, (bis)
À la volette
Veux-tu te soigner ?
あたしの小鳥さん (bis)
手当てしてほしい？
してほしい、 (bis)
すばやく飛び回って
手当てしてほしい？

7. Je veux me soigner (bis)
Et me marier
Et me ma, (bis)
À la volette,
Et me marier.
ぼく、手当てしたい (bis)
そして結婚したい
結婚を…、 (bis)
すばやく飛び回って
結婚をしたい。

8. Me marier bien vite

Sur un oranger (*bis*)
Sur un o,
À la volette (*bis*)
Sur un oranger.

すぐにも結婚したい、
オレンジの木の上で (*bis*)
オ…の木の上で、
すばやく飛び回って (*bis*)
オレンジの木の上で。

〔資料⑬〕

作詞作曲不詳。17 世紀頃、イル＝ドゥ＝フランス地域圏でうまれた。この歌の正確な節は、1672 年のクリスマス・キャロルに聞かれるという〔資料②〕。

歌詞 3 番の La branche a cassé ／ L'oiseau est tombé のヴァリアントとして、La branche était sèche ／ L'oiseau est tombé（その枝が枯れていて／小鳥は落っこちたの）や〔Cf.YouTube〕、La branche était sèche ／ Elle s'est cassée（その枝が枯れていて／折れてしまった）もある〔資料⑧〕。

この歌で、すばやく飛び回り、止まったオレンジの木が折れ落下して怪我をするのはオスの小鳥。手当てしてあげるのは、「あたし」か「ぼく」か？　性別の文法的な決め手はないが、オスの小鳥の手当てをするのだから、イメージとしては「女の子」が浮かぶ。だから、「あたし」と訳した。ただし誤解するなかれ、歌詞 7 ～ 8 番で、オスの小鳥が結婚を望む相手は、この女の子ではなく、もちろんメスの小鳥だ。

人間に喩えれば、冒険心豊かな男の子が、試練を経たのちに、素敵な女性と出会い結婚するという、ハッピーエンドを絵に描いたような歌だ。だれしもの実人生もこうありたい。陽気なメロディが、楽天的な気分に誘ってくれる。

ところで、à la volette の volette だが、普通の学習用辞書にはのっていない。ロワイヤル仏和中辞典〔旺文社〕には、自動詞 voleter（[小鳥・蝶などが] ひらひら飛び回る）から派生した男性名詞 volettement（[稀] ひらひら飛び回ること、ひらひらすること）があがっているが、女性名詞 volette はない。たぶん、現代フランス語の à la volée（①空中で、飛んでいるところを、②機を逸せずに、すばやく、③力任せに、勢いよく）に相当するのではないだろうか？〔同辞典〕

ちなみに、YouTube で、次のような注がついているのを見つけた〔*Les plus belles comptines à mimer*〕。

À la volette, comptine pour enfant tirée d'une expression française (À la volette = vite, bâclé). Le petit oiseau blessé et consolé avec une fin heureuse.
〔訳〕「ア・ラ・ヴォレット」はフランス語の子ども用のコンティーヌ（はやし歌）だ（ア・ラ・ヴォレットは、「すばやく、手っ取り早く」の意）。小鳥は傷つくが、幸せな結末を迎え癒される。

また、インターネット上で見つけたこの歌の英訳版では、à la volette を flit a-flitting（ひらひらと飛び回る）と訳している〔資料⑳〕。

はて、そうすると à la volette は「すばやく」なのか、「ひらひら飛び回って」なのか、……おそらくその双方の意味がこめられているのだろう。したがって、「すばやく飛び回って」と意訳した。

別の見方もできる。各歌詞の同じ位置に置かれ、小気味よく軽快に「ア・ラ・ヴォレット」とくりかえされることから、一種のはやし言葉の役割を担っているとも考えられる。発想の転換だ。その場合、「ア・ラ・ヴォレット」というふうに、訳さず音声表記のまま留めておくのがいい。

ところで、オスの小鳥は、なぜオレンジの木の枝に止まったのだろう。オレンジは、元来、実の形の丸さから、「女性を象徴する果物で、寛容、豊饒(ほうじょう)を表す」といわれている〔アト・ド・フリース著『イメージ・シンボル事典』大修館書店〕。また、ジャン・シュヴァリエ、アラン・ゲールブラン共著『象徴辞典』(Jean Chevalier, Alain Gheerbrant: *Dictionnaire des symboles, MYTHES, RÊVES, COUTUMES, GESTES, FORMES, COULEURS, NOMBRES*, Seghers, 1974.) にも、「オレンジは、たくさんの種をもつすべての果物同様、豊饒の象徴である」として、なぜか東洋の具体例だが、かつてヴェトナムでは若いカップルにオレンジが贈られたこと、また古代中国でも若い娘さんたちにオレンジを贈ることは求婚を意味していた旨が、紹介されている。

なお、この歌のストーリーの展開は「ギユリの大将」(*Compère Guilleri*) に類似しているが、偶然の一致で、両歌のあいだに直接の関係はないと考えていいだろう。

5. *À ma main droite*
あたしの右手に

1. À ma main droit' j'ai un rosier
À ma main droit' j'ai un rosier
Qui porte rose au mois de mai
Qui porte rose au mois de mai
あたし、右手にバラの木をもってる
あたし、右手にバラの木をもってる
5月にバラの花を咲かすのよ
5月にバラの花を咲かすのよ

2. Parmi la danse, charmant rosier
Parmi la danse, charmant rosier
Choisissez donc qui vous voulez
Choisissez donc qui vous voulez
ダンスに加わって、すてきなバラの木よ
ダンスに加わって、すてきなバラの木よ
お望みのひとをお選びなさいな
お望みのひとをお選びなさいな

3. Parmi la danse, charmant rosier
Parmi la danse, charmant rosier
Embrassez donc qui vous voulez
Embrassez donc qui vous voulez
ダンスに加わって、すてきなバラの木よ
ダンスに加わって、すてきなバラの木よ

お望みのひとにキスなさいな
お望みのひとにキスなさいな

4. Parmi la danse, charmant rosier
Parmi la danse, charmant rosier
Emmenez donc qui vous voulez
Emmenez donc qui vous voulez
ダンスに加わって、すてきなバラの木よ
ダンスに加わって、すてきなバラの木よ
お望みのひとを連れてお行きなさい
お望みのひとを連れてお行きなさい

5. Parmi la danse, charmant rosier
Parmi la danse, charmant rosier
Attrapez donc qui vous voulez
Attrapez donc qui vous voulez
ダンスに加わって、すてきなバラの木よ
ダンスに加わって、すてきなバラの木よ
お望みのひとを捉まえるのよ
お望みのひとを捉まえるのよ

6. Parmi la danse, charmant rosier
Parmi la danse, charmant rosier
Fait's tourner donc qui vous voulez
Fait's tourner donc qui vous voulez
ダンスに加わって、すてきなバラの木よ
ダンスに加わって、すてきなバラの木よ

お望みのひとを夢中にさせるのよ
お望みのひとを夢中にさせるのよ

〔資料⑪〕

作詞作曲不詳。このシャンソンが流行ったのは、「バラ色叢書」(bibliothèque rose) の時期というから、19世紀半ば以降の作だ。アシェット社から、バラ色叢書と銘うたれ、6歳から12歳までの子ども向けに本のコレクションが出版されはじめたのが、1856年だからだ。もともとは、少女たちの輪踊りのシャンソンで〔資料Ⅱ-5〕、Ronde-mariage（結婚式の輪踊り）の役割も果たし〔資料⑪〕、うたいながら、踊りながら、歌詞に呼応する身振りをしたそうだ。

歌中の「すてきなバラの木」(charmant rosier) は、もちろん擬人化で、文脈から推して「男性」のことだろう。

資料⑪の説明では、日常の遊びでなら、男の子が加わってもいいし、「すてきなバラの木」役を女の子がやってもいいそうだ。具体的には、「子どもたちのうちのひとりが輪のまんなかにいて、歌詞の終わりで、その子は求婚の身振りをする、そして、次の歌詞にそなえ、その子が選んだ男の子か女の子と交代する」。

そして、各歌詞の第3～4連の冒頭の動詞を、この歌のように、Choisissez, Embrassez, Emmenez, Attrapez, Fait's tourner...と、次々に置き換えていけば、ずっとうたい踊りつづけることができる。

歌詞6番の Fait's tourner donc qui vous voulez は、直訳すれば「お望みのひとの気持ちをこちらに向けさせるの」だが、熟語の faire tourner la tête à qn（ひとの頭をぼうっとさせる、夢中にさせる）を踏まえてのことだと思われるので、「お望みのひとを夢中にさせるのよ」と意訳した。

そういえば、エディット・ピアフが、シャンソン「わたしの回転木馬」（*Mon manège à moi*）で、素敵な彼氏との愛をうたいあげる際にも、ça me fait tourner la tête（もう頭がぼうっとするわ、うっとりとするわ）という、ここと同じ表現を使っていた。

ところで、この歌で、バラの木をもつのは右手だ。手元のいくつかのヴァージョンを調べても、すべて「右手にバラの木」だ。

がしかし、ブルターニュ地方では、このバラの木は「左手でもつ」ようだ。理由は不明だが、ウジェーヌ・エルパン（Eugène Herpin）の『ブルターニュの結婚と洗礼』（*Noces & baptêmes en Bretagne*, 1904）に由来する次の歌詞が教えてくれる〔資料⑳、Mama Lisa's World〕。

1. À ma main gauche, j'ai t-un rosier,
À ma main gauche, j'ai t-un rosier,
Qui fleurira, dolidondaine,
Qui fleurira-t-au mois de mai !
左手で、バラの木をもっているの、
左手で、バラの木をもっているの、
咲くでしょう、ドリドンデーヌ、
咲くでしょう、５月には！

2. Entrez en danse, joli rosier,
Entrez en danse, joli rosier,
Et embrassez, dolidondaine,

Et embrassez qui vous voudrez !

ダンスに加わって、可愛いバラの木よ
ダンスに加わって、可愛いバラの木よ
そしてキスして、ドリドンデーヌ、
そしてキスして、あなたのお望みのひとに！

〔資料II-5〕

6. *Arlequin tient sa boutique (Arlequin dans sa boutique)*
アルルカンはお店を開いている（アルルカンはお店のなか）

1. Arlequin tient sa boutique
Dessous un grand parasol
Il attire la pratique
Autant que votre guignol.
アルルカンはお店を開いている
大きなパラソルの下で
アルルカンは顧客の気を引いている
あんたの指人形（ギニョル）とおなじくらいに。

[Refrain]
Oui, Monsieur Po,
Oui, Monsieur Li,
Oui, Monsieur Chi,
Oui, Monsieur Nelle,
Oui, Monsieur Polichinelle.
ウィ、ムスィユー、ポ、
ウィ、ムスィユー、リ、
ウィ、ムスィユー、シ、
ウィ、ムスィユー、ネル、
ウィ、ムスィユー、ポリシネル。

2. Il vend des bouts de réglisse
Meilleurs que votre bâton
Des bonshomm's en pain d'épices

Moins bavards que vous, dit-on.

アルルカンはカンゾウ棒を売っている
あんたがもってる棒より良質だ
パン・デピスでできた男たちは
あんたほどおしゃべりじゃないそうだ。

3. Il a de belles oranges
Pour les bons petits enfants
Et de si beaux portraits d'anges
Qu'on dirait qu'ils sont vivants.

アルルカンは美味しそうなオレンジを売っている
おりこうさんの子どもたちのために
そしてお店で売っている天使の肖像画はとても美しいので
まるで生きているみたいだ。

4. Il a des pralines grosses
Bien plus grosses que le poing
Plus grosses que les deux bosses
Que forme votre pourpoint.

アルルカンは大きなプラリーヌも売っている
こぶしよりずっと大きくて
ふたつのこぶよりも大きな
あんたの胴着の膨らみ部分の。

5. Il ne bat jamais sa femme
Et ce n'est pas comm' chez vous
Comme vous il n'a pas l'âme

Aussi dure que des cailloux.
アルルカンはけっして妻をぶったりしない
あんたんちとは違うさ
あんたみたいに、石のような
冷酷な心の持ち主じゃない。

6.Vous faites le diable à quatre
Mais pour calmer vot' courroux
Le diable viendra vous battre.
Le diable est plus fort que vous.
あんたは大騒ぎする
しかしあんたの怒りをしずめるために
悪魔があんたを殴りにくるだろう
悪魔はあんたよりもっと強いんだ。

〔資料⑬、資料II－5参照〕

ところで、歌詞1番を次のようにうたう版もある〔資料⑨〕。

Arlequin dans sa boutique
Sur les marches du palais,
Il enseigne la musique
À tous ses petits valets.
アルルカンはお店のなか
宮殿の階段の上にある、
アルルカンは音楽を教えている
自分の幼い下僕たちに。

この歌は、「アルルカンとポリシネル」（*Arlequin et Polichinelle*）というタイトルでも知られているように、このふたりが主人公だ〔資料II－5〕。

歌詞は、1846年にデュ・メルサンとノエル・セギュールが編んだ『子どもの歌とロンド』（*Les Chansons et rondes enfantines*）に収録されている。うたうときは、18世紀の『クレ・デュ・カヴォ（カヴォの鍵）』（*Clé du caveau*）に採譜されたコントルダンスの旋律による〔資料②〕。コントルダンスとは、数組の男女が向かい合って踊る英国の民俗舞踏が起源のダンスで、18世紀のヨーロッパで大流行した〔小学館ロベール仏和大辞典〕。

アルルカン（Arlequin）は、イタリア喜劇のコンメディア・デッラルテ（Commedia dell'arte）の道化役で、狡賢（ずるがしこ）いが人気者の召使いアルレッキーノ（Arlecchino）のフランス語名。多色（雑色）に菱形の服を着て、黒マスクをかぶり、木剣をもつ。フランスにはいってからの人形芝居「マリオネット」（marionnettes）では、陽気で寛大な役柄に変わった。

ポリシネル（Polichinelle）も、同じくコンメディア・デッラルテのなかの滑稽役で、高い鼻と太鼓腹をもち黒いマスクをつけたプルチネッラ（Pulcinella）のフランス語名だが、人形芝居では、背中と胸にひとつずつこぶがあり、赤い鉤鼻で、棒を1本もち、不平不満の塊のような醜悪な道化役に変じた。

もともと人形芝居そのものを意味した「マリオネット」という用語は、やがて指または糸で操る劇用の人形一般もさすようになり、指人形の場合には特に「ギニョル」（guignol）と呼ばれるようになった。ギニョルは、当初1808年にフランスのローラン・

ムルゲによって作られた指人形芝居の主人公名だったが、現在ではギニョルを主人公とする人形劇の総称としても使われている。

いくつか語句の説明をしておこう。

歌詞 2 番：des bouts de réglisse は、直訳すれば「カンゾウ（甘草）の切れ端」だが、bâton de réglisse（カンゾウ棒）の意味に解した。次行の votre bâton「あんた（＝ポリシネル）がもっている棒」に呼応しているはずだから。

：pain d'épices「パン・デピス」は、蜂蜜入りの香料パンのこと。そして、un bonhomme en pain d'épice といえば「人形の形をした菓子パン」〔小学館ロベール仏和大辞典〕をさし、ここはその複数形。

歌詞 4 番：praline(s)「こんがり焼いたアーモンドにカラメル状の砂糖をからめたボンボン、糖衣アーモンド」。

：Plus grosses que les deux bosses「ふたつのこぶよりも大きな」は、ポリシネルが背中と胸にそれぞれひとつずつこぶをもっているからだ。

：pourpoint「13 ～ 17 世紀に着用されたウエスト丈の男性用胴着」。なお Que forme votre pourpoint（あんたの胴着の膨らみ部分の）の詩句だが、資料⑨及び資料Ⅱ-4 ほか、YouTube 等の歌詞では、Qui sont dans votre pourpoint（あんたの胴着のなかだ）になっている。また、通常、歌詞 3 番と 4 番の順序を入れ替えてうたうようだ。

歌詞 5 番：il n'a pas l'âme は、avoir de l'âme の否定文と解した。avoir de l'âme「情がある、思いやりがある」。この表現は、avoir un cœur de caillou ; avoir le cœur dur comme un caillou（非情である、石のように冷酷だ）を踏まえて

のことだと思われる。

歌詞6番：faire le diable à quatre「大騒ぎする」。

＊

このシャンソンは、1800年代初頭にリヨンでうまれたマリオネットの一種「指人形芝居」（les spectacles de Guignol）の舞台を想定している。パリの子どもたちは、よく人形芝居を見にいくし、このシャンソンもよく知っている。

歌詞のなかで2人称のvousは、ポリシネルのこと。たぶん、観客たる第3者が、舞台上の不出来なポリシネルに「あんたは」「あんたの」というふうに話しかけながら、逐一、もうひとりの道化、出来のいいアルルカンと比較するという寸劇だ。

＊

ところで、「コンメディア・デッラルテ」だが、16世紀にイタリア北部でうまれた仮面を使用する即興演劇の一種だ。18世紀頃までヨーロッパ各地で流行(はや)ったが、フランスに入ったのは17世紀中葉のこと。このイタリア人役者からなる一座は、パレ＝ロワイヤルでの芝居を、モリエール劇団と交互に定期的に上演するようになった。当時の配役は、老人2人、空威張りする男カピタン（capitan)、2組の若い愛し合う男女、小間使い1人、そして少なくとも2人の下僕という布陣で、アルルカンもその登場人物のひとりにすぎなかった〔Cf. 資料②〕。

18世紀にはいると、そのアルルカンはフランスの演劇界の人気者となり、『木靴をはいたアルルカン』(*Arlequin au sabot*)、『厭世家アルルカン』(*Arlequin misanthrope*)、『妻なきアルルカンとパンタロン』(*Arlequin et Pantalon sans femmes*)、『占星術師アルルカン』(*Arlequin astrologue*)、『月世界の皇帝アルルカン』(*Arlequin empereur dans la lune*) 等々、多くの劇の主人公として登場するようになる。マリヴォ（Marivaux, 1688-1763）もこの人物を題材にした喜劇『恋に磨かれたアルルカン』(*Arlequin poli par l'amour*）を書いている。初演は、1720年7月16日。

アルルカン人気にあやかり、1746年には「パンタン」(pantin)と呼ばれる操り人形が出現した。この人形は、ぎくしゃくと手足を動かし、アルルカンの舞台上での踊りの動作を完璧に再現できた。ここから、marcher comme un pantin（[操り人形のように]ぎくしゃくと歩く）という表現がうまれた。このように、コンメディア・デッラルテの役者たちは、演劇というジャンルに、ダンスや音楽という他領域の要素を取りいれることに成功した。

さらに下って、19世紀後半の第2帝政の頃には、グラン・ブールヴァールにマリオネット劇場がいくつもでき、ここに紹介した歌は子どもたちをたいそう喜ばせたという。〔Cf. 資料②⑲〕

〔資料II-5〕

7. *Au clair de la lune trois petits lapins*
月明りのもとで小ウサギが３兎

Au clair de la lune
Trois petits lapins
Qui mangeaient des prunes
Comme trois coquins;
La pipe à la bouche,
Le verre à la main,
Ils disaient : « Mesdames,
Versez-nous du vin.
Jusqu'à demain matin. »

月明りのもとで
小ウサギが３兎
プラムを食べていた
３人のいたずらっ子みたいに、
口にパイプをくわえ、
手にワイングラスをもち、
こういうのだった、「ご婦人方よ、
俺たちにワインを注いでおくれ、
明日の朝までな」

〔資料Ⅱ－７〕

母親がベッドのなかで幼な子を寝かせつける際にうたう子守歌。有名なシャンソン「月明りのもとで」(*Au clair de la lune*)の旋律にのせてうたう、一種の替え歌だ。「月明りのもとで」については、三木原浩史著『フランスの子どもの歌50選』〔鳥影社

pp.227-234〕参照のこと。

また、歌詞最後の Versez-nous du vin と Jusuqu'à demain matin の間に、Tout plein（なみなみと）が挿入されるヴァージョンもあるようだ〔資料⑳、Mama Lisa's World〕。

En disant « Mesdames,
Versez-nous du vin.
Tout plein,
Jusqu'à demain matin. »

こういいながら、「ご婦人方よ、
俺たちにワインを注いでおくれ。
なみなみとな、
明日の朝までだぞ」

ほかにも、Versez-nous du vin（俺たちにワインを注いでおくれ）が、Servez-nous du vin（俺たちにワインをだしておくれ）とうたわれる場合もある。

日本人なら、「月」と「ウサギ」の組み合わせからすぐにも思い浮かべるのは、古来の伝承、――月面の模様にウサギが餅つきをしているイメージ、――だろう。科学以前に生きたひとの幸せな想像力か、それとも「月明り」の魔術か……。

しかし、この歌「月明りのもとで小ウサギが３兎」では、「月明り」のもとに立ち現れた映像は、紫煙をくゆらせ、美味しいプラムを食べ、美女を侍らせ、美酒をたしなむ、生意気な、しかし憎めない小ウサギ３兎だ。食べるために生きる、饗宴好きなフランス人の想像力と、日本人の観念的美学の対照が面白い。

*

旋律を借りるなら歌詞もというわけだろうか、元歌「月明りのもとで」の歌詞1-2番をそっくりそのままうたった後で、上記とほぼ同じ歌詞を、あたかも歌詞3番であるかのように付け加えた替え歌ヴァージョンもある〔資料⑲〕。

1. Au clair de la lune,
Mon ami Pierrot,
Prête-moi ta plume
Pour écrire un mot.
Ma chandelle est morte,
Je n'ai plus de feu,
Ouvre-moi ta porte,
Pour l'amour de Dieu.

月明りのもとで、
私の友人ピエロの姿が見える、
「貸してください、きみのペンを、
ひとこと書くために。
ぼくのロウソクは消えてしまいましたし、
火もありません、
開けてください、きみのドアを、
どうかお願いですから」

2. Au clair de la lune,
Pierrot répondit :
« Je n'ai pas de plume,
Je suis dans mon lit.

Va chez la voisine,
Je crois qu'elle y est,
Car dans sa cuisine
On bat le briquet. »

月明りのもとで、
ピエロは答えた、
「ぼくはペンをもってないよ、
ベッドのなかにいるんだ。
隣の女のところに行けば、
いると思うよ、
だって、台所で、
火を打ちだしているから」

3. Au clair de la lune
Trois petits lapins
Qui mangeaient des prunes
Comm'trois p'tits coquins;
La pipe à la bouche,
Le verre à la main,
En disant « Mesdames,
Versez-moi du vin. »

月明りのもとで
小ウサギが３兎
プラムを食べていた
３人のいたずらっ子のように、
口にパイプをくわえ、
手にワイングラスをもち、

こういいながら、「ご婦人方よ、
ぼくにワインを注いでおくれ」

*

ところで、興味深いことがひとつ。元歌「月明りのもとで」では、歌詞1番及び歌詞2番の1行目末尾 lune [lyn] と3行目末尾 plume［plym］は、微妙なところで韻が踏めていない。そこで、おそらく意識的にだろう、替え歌では歌詞3番3行目に prunes［pryn］を配置することで、ちゃんと押韻させている。

さらに余談になるが、元歌「月明りのもとで」における「月」と「ピエロ」の結びつきは世紀末の象徴主義の時代に決定的となり、両者をモチーフとする主要作品が数多く生まれた。白粉を顔につけたピエロが月を連想させることが、結びつき強化に役立ったのだろう。「月とピエロの詩人」と呼ばれたジュール・ラフォルグ（Jules Laforgue,1860-87）は、とくに有名だ。

だが、ここでとりあげた「月明りのもとで小ウサギが3兎」は、「月明り」のもとでの陽気で楽しい「ウサギ」がテーマ、これ以上深追いはするまい。

〔資料II-7〕

8. *La belle est au jardin fleuri*
花園に美しい娘がいる

1. La belle est au jardin fleuri, (*bis*)
Il y a un mois ou cinq semaines
Laridondon, la ri don daine
花園に美しい娘がいる、(*bis*)
4週間か5週間前のことだ
ラリドンドン、ラ・リ・ドン・デーヌ

2. Son père la cherche partout, (*bis*)
Son amoureux qui est en peine
Laridondon, la ri don daine
娘のお父さんが娘をあちこち探しまわっている、(*bis*)
娘の恋人は美しい娘のことを心配している
ラリドンドン、ラ・リ・ドン・デーヌ

3. Berger, berger, n'as-tu point vu (*bis*)
Passer ici celle que j'aime ?
Laridondon, la ri don daine
羊飼いさん、羊飼いさん、見なかった？(*bis*)
ぼくの愛する美しい娘がここを通るのを
ラリドンドン、ラ・リ・ドン・デーヌ

4. Elle est là-bas dans ce vallon, (*bis*)
Assise au bord d'une fontaine
Laridondon, la ri don daine

娘さんは、ほらあそこ、あの小さな谷間にいて、(*bis*)
泉のほとりにすわっているよ
ラリドンドン、ラ・リ・ドン・デーヌ

5. Et dans sa main est un oiseau, (*bis*)
A qui la bell' conte ses peines
Laridondon, la ri don daine
そして娘さんの手のなかには小鳥が 1 羽いて、(*bis*)
その小鳥に自分の悲しみを語っているよ
ラリドンドン、ラ・リ・ドン・デーヌ

6. Le bel oiseau s'est envolé, (*bis*)
Et le chagrin bien loin emmène
Laridondon, la ri don daine
美しい小鳥は飛び立った、(*bis*)
そして悲しみをうんと遠くに運んでいく
ラリドンドン、ラ・リ・ドン・デーヌ

〔資料Ⅱ-5〕

作詞作曲不詳。美しい娘の苦悩を、――たぶん、恋の懊悩(おうのう)を、――遠くに運び去ってくれるこの小鳥は、いったい何鳥だろう？　種類はわからないが、紹介した童謡絵本には、「青い鳥」が、1 茎の花を脚で摑んで飛び去っていく絵が描かれ、ピカルディ（Picardie）地方か、またはベリー（Berry）地方が起源だと推定している。ピカルディ地方は、フランス北部地方で現在のソンム（Somme）県を中心とした地域。ベリー地方はフランス中央部の一地方で、現在のほぼシェール（Cher）県、アンドル（Indre）

県に相当する。地理的には、パリをはさんで北と南にかなり離れた距離だから、結局のところ、起源は特定できないということだろう。

なお、歌詞1番 Il y a un mois ou cinq semaines は、直訳すれば「1カ月か、あるいは5週間前に」だが、週の単位にそろえて「4週間か5週間前」とした。

*

このシャンソンは、*La belle est au jardin d'amour*（愛の園に美しい娘がいる）というタイトルでも知られているが、歌詞はかなり違う。作詞作曲不詳、18世紀の作。〔資料⑬〕

1. La belle est au jardin d'amour,
Voilà un mois ou six semaines.
Son père la cherche partout,
Et son amant qu'est bien en peine:
愛の園に美しい娘がいる、
見たのは、4週間か6週間前のことだ。
娘のお父さんがあちこち娘を探しまわっている、
そして、ひどく心配している娘の恋人も。

2. Faut demander à ce berger
S'il l'a pas vue dedans la plaine:
— Berger, berger, n'as-tu point vu
Passer ici la beauté même ?
あの羊飼いに尋ねなければ
牧場のなかで娘を見なかったかどうかを。
「羊飼いさん、羊飼いさん、見なかったかいこのうえなく美しい娘がここを通るのを？」

3. ― Comment donc est-elle vêtue,
Est-ce de soie ou bien de laine ?
― Elle est vêtue de satin blanc
Dont la doublure est de futaine.
「娘さんはいったいどんな服を着ているんだい、
絹製かね、ウール製かね？」
「白のサテンの服を着ているよ
裏地はファスチァンさ」

4. ― Elle est là-bas dans ce vallon,
Assise au bord d’une fontaine;
Entre ses mains tient un oiseau,
La belle lui conte ses peines.
「娘さんは、ほらあそこ、あの小さな谷間にいて、
泉のほとりにすわっているよ、
両手に抱えている1羽の小鳥に、
美しい娘さんは自分の悲しみを語っているよ」

5. ― Petit oiseau, tu es heureux,
D’être entre les mains de la belle !
Et moi, qui suis son amoureux,
Je ne puis pas m’approcher d’elle.
「小鳥よ、おまえは幸せだ、
美しい娘の手のなかに包まれて！
そして、ぼくは、娘の恋人なのに、

その美しい娘に近づくことができない。

6. Faut-il être auprès du ruisseau,
Sans pouvoir boire à la fontaine ?
— Buvez, mon cher amant, buvez,
Car cette eau-là est souveraine.
小川の傍にいる必要があるだろうか、
その泉から水を飲むことができないのなら？」
「お飲みなさい、あたしの愛しい恋人よ、お飲みなさい、
だってこの水は恋の特効薬なんですもの」

7. — Faut-il être auprès du rosier
Sans pouvoir cueillir la rose ?
— Cueillissez-la, si vous voulez,
Car c'est pour vous qu'elle est éclose.
「バラの木の傍にいる必要があるだろうか
そのバラの花を摘みとることができないのなら？」
「お望みなら、バラの花を摘みとって下さい、
だってあなたのためですもの、バラが花開いているのは」

歌詞2番 la plaine :「平野」の意だが、羊飼いに関連させて「牧場」と訳した。

歌詞3番 futaine :「ファスチァン」（片面に毛羽を立てたコール天やビロードなどの綾織綿布）のこと〔小学館ロベール仏和大辞典〕。

歌詞6番 souverain(e) :「最高の、至高の」の意。ここでは、この泉の水は「最高だ」といっているわけだが、なにが最

高なのかは書かれていない。しかし、テーマが若い男女の愛であり、remède souverain といえば「特効薬」のことだから、「恋にこのうえもなく効き目のある水」と解釈してよいだろう。歌中では「この水は恋の特効薬なんですもの」と意訳した。じっさい、この水は『トリスタンとイズー』の愛の「媚薬」(philtre) を彷彿（ほうふつ）とさせる。飲めば宿命の愛で結ばれるという、中世以来の「愛と死」の永遠のテーマに繋がるかもしれない。

歌詞７番：cueillir la rose（バラの花を摘みとる）も字義どおりではない。rose（バラ）の象徴の１つが女性性器だし、そのアナグラムは éros（エロス)、すなわち「性の欲動」だ。従って、「バラの花を摘みとる」という行為は、女性の処女性を奪うことを意味するし、娘の方でも受け入れることを強く望んでいる。「あなたのためですもの、バラが花開いているのは」は、表層の表現の美しさとは裏腹に、あまりにも直截（ちょくせつ）で赤裸々な比喩だ。

恋の成就には、いろいろな手続きを経なければならない。中世トゥルバドゥールの描いた「意中の奥方」への愛や騎士道恋愛物語が典型的だ。さまざまな試練を経たのちにしか奥方に近づけない。『薔薇物語』にあっては、並の手間暇ではない。苦労が多いほど、恋人への想いの総量は増すというものだ。個人的には、そんな面倒な女性はお断りだが、ことは、文学の世界、歌の世界のことだ。だからこそ、主人公「ぼく」は、数週間も行方不明の恋人を、胸を痛めながら懸命に探しているし、娘の方でも、なかなか見つけてくれないことに気をもみ、不安を小鳥に訴えながら、見つけてくれることを待ち望んでいる。歌詞６番、歌詞７番は、恋人同士が究極の愛を成就する手前での手続き問答にすぎない。

*

何カ国語も駆使するギリシャ生まれのナナ・ムスクリ（Nana Mouskouri,1934-）は、フランスの古い歌をうたっても、その癒すような甘い声でだれしもを魅了する。そして、しばしば歌詞を改変したり省略したりする。この歌に関してもそうだ。単語は前掲の歌詞と多少違う程度、筋立てはほぼ同じ。なのに、歌詞５番まで進行してきたところで、唐突にうたい終えてしまう。歌詞６番と歌詞７番を省いたのだ。結果、歌世界は真逆になってしまった。そのナナ・ムスクリ版をみてみよう〔資料⑳〕。

1. La belle est au jardin d'amour（*bis*）
Depuis un mois ou six semaines
Son père la cherche partout
Et son amant est bien en peine
美しい娘が愛の園にいる（*bis*）
４週間か５週間前から
その娘のお父さんが娘をあちこち探しまわっている
そして娘の恋人はひどく心配している

2. Berger berger n'as- tu pas vu（*bis*）
N'as-tu pas vu la beauté même
De quoi donc est-elle vêtue
Est-elle en soie est-elle en laine
「羊飼いさん、羊飼いさん、見なかったかい（*bis*）
このうえなく美しい娘を見なかったかい」
「その娘さん、どんな生地の服を着ているの絹製かい、ウール製かい」

3. Elle est vêtue de satin blanc (*bis*)
A ses mains de blanches mitaines
Ses blonds cheveux flottant au vent
Ont des parfums de marjolaine
「娘は白いサテンの服を着ているよ（*bis*）
両手には白いミットをはめて
金髪を風になびかせ
マヨラナの香りをさせている」
〔注〕mitaines：ミット（指先のない婦人用長手袋）

4. Elle est là-bas dans ce vallon (*bis*)
Assise auprès d'une fontaine
Et dans ses mains tient un oiseau
À qui elle chante toute sa peine
「娘さんは、ほらあそこ、小さな谷間にいて（*bis*）
泉のそばにすわっているよ
そして、両手で小鳥を 1 羽抱いていて
すべての悲しみをうたって聞かせてる」

5. Petit oiseau tu es heureux (*bis*)
D'être ainsi auprès de ma belle
Et moi qui suis son amoureux
Je ne peux pas m'approcher d'elle
「小鳥よ、おまえは幸せだ（*bis*）
そんなふうにぼくの美しい恋人のそばにいて

なのに、ぼくはといえば、娘の恋人なのに
近づくことができないでいる」

歌詞５番末尾の２行「なのに、ぼくはといえば、娘の恋人なのに／近づくことができないでいる」に注目しよう。この娘は、恋人の「ぼく」を受け入れようとしていない。いや拒絶している。前掲２歌のハッピーエンドに引き換え、同根の歌でありながら、ナナ・ムスクリはなぜかふたりを引き裂いている。いや、そのように思える。歌詞６番と歌詞７番を省くことで、ナナ・ムスクリは、恋する男の嘆き節に、――処女をけっして与えようとはしない、防御の硬い娘への恨み節に、――変容させたのだ。

中世の綴れ織りに描かれた、あの一角獣に守られた乙女が脳裡に蘇る。あの絵図が示すように、貞操堅固な女性を我が物にしようとして懊悩(おうのう)する若者のエロス（性の欲動）が透けて見える。はたしてそれを迷妄(めいもう)といい切ることができるだろうか？

〔資料Ⅱ-5〕

9. *Berger, mon doux berger*
羊飼いさん、あたしの優しい羊飼いさん

1. Berger, mon doux berger,
J'entends au loin marcher;
Déjà mon cœur espère,
Car tu viens me chercher,
Les violons nous appellent,
Allons-nous en danser.
Gai, mon berger, lon la lon lé,
Tra la la la la lère
Tra la la la la } (*bis*)

羊飼いさん、あたしの優しい羊飼いさん、
あたしには遠くで歩いているのが聞こえるわ。
すでにあたしの胸は期待でいっぱい、
だってあなたがあたしを迎えに来るんですもの、
ヴァイオリンがあたしたちを呼んでいるわ、
さあ、踊りに行きましょう。
ねえ、あたしの羊飼いさん、ロン・ラ・ロン・レ、
トゥラ・ラ・ラ・ラ・ラ・レール
トゥラ・ラ・ラ・ラ・ラ・ラ } (*bis*)

2. Berger, mon doux berger,
Le bal a commencé;
Déjà mon cœur espère,
Car tu as murmuré:
Bergère, oh! ma bergère,

Veux-tu bien m'épouser ?
Gai, mon berger, lon la lon lé,
Tra la la la la lère
Tra la la la la la } (*bis*)

羊飼いさん、あたしの優しい羊飼いさん、
舞踏会は始まっているわ。
すでにあたしの胸は期待でいっぱい、
だってあなたが囁いたんですもの。
羊飼い娘さん、おお！ぼくの羊飼い娘さん、
ぼくと結婚してくれないか？
ねえ、あたしの羊飼いさん、ロン・ラ・ロン・レ、
トゥラ・ラ・ラ・ラ・ラ・レール
トゥラ・ラ・ラ・ラ・ラ・ラ } (*bis*)

3. Berger, mon doux berger,
Le bal est terminé;
Mais demande à mon Père
S'il veut bien t'accorder
La main de ta bergère,
Demain j't'épouserai.
Gai, mon berger, lon la lon lé,
Tra la la la la lère
Tra la la la la la } (*bis*)

羊飼いさん、あたしの優しい羊飼いさん、
舞踏会は終わってしまったわ。
でも、あたしの父に尋ねてみてね
もし父が許してくれたら
あたしへの求愛を、

明日、あたし、あなたと結婚するわ。
ねえ、あたしの羊飼いさん、ロン・ラ・ロン・レ、
トゥラ・ラ・ラ・ラ・ラ・レール
トゥラ・ラ・ラ・ラ・ラ・ラ (*bis*)

〔資料II-5〕

作詞作曲年代不詳。愛の物語が牧場を舞台とするとき、「牧歌」と呼ぶ。このシャンソンでは、牧場で、美しい羊飼い娘が羊の群れを連れて行こうとしているところへ、羊飼いの若者がやってきて、娘をダンスに誘う。娘が承諾すれば、ダンスどころか、たぶん結婚まで一直線だ。あまりに早いロマンスの成就だが、あくまで文学としての「牧歌」の約束事。もっとも、羊飼いならずとも、庶民の婚約成立一般が、貴族階級と比べれば、簡単でわかりやすいものだっただろう。ただし、現実に羊飼い娘がだれしも美しく、羊飼いの若者がみな誠実な好青年というのは、あり得ない。清純な男女の恋を「牧歌」に託したのは、羊飼いの男女が遠目に素朴で純朴に見えるからで、――勝手に、知識階級が都合よくそう思いこんだだけだが、――それは、フランス人のみならずヨーロッパ人が捏造した理想であり、幻想だ。現実には、貧しさゆえ、薄汚くずる賢いものたちもいただろうが、そういってしまうと身も蓋もない。

Gai, mon berger, lon la lon lé の〈Gai〉(ゲ) は古いフランス語の間投詞で、伝統的なシャンソンのルフランでよく使われる。同じ音声の〈Gué〉(ゲ) と綴られることもあり、あえて訳せば「さあ、陽気にやろう／ああ、楽しい／ああ、愉快」あたりだろうが、ここでは、その直後の意味のないルフラン〈lon la lon lé,

Tra la la la la lère〉と呼応し、一体となって「ゲ、あたしの羊飼いさん、ロン・ラ・ロン・レ、トゥラ・ラ・ラ・ラ・ラ・レール」と調子よく語調を整えているだけともとれる。

ただ、直前の詩行が「明日、あたし、あなたと結婚するわ」だ。古いシャンソンのルフランに、〈Gai, gai, marions-nous !〉（ねえ、ねえ、結婚しよう！）があることを念頭に置き〔ロワイヤル仏和中辞典（旺文社)〕、ここは、「ああ、楽しい」の意をこめて、「ねえ」と訳してみた。

この〈Gai〉〈Gué〉については、*Le chevalier du guet* (*Compagnons de la Marjolaine*)、──「国王巡邏隊隊長（マルジョレーヌの仲間たち)」、──の章を参照のこと〔Cf. p.108〕。

*

以下に、アンジュー地方のベルジュレット（bergerette)、──「18 世紀に流行したロココ的牧歌趣味の軽い声楽曲」〔小学館ロベール仏和大辞典〕、──を 1 曲、紹介しておこう。タイトルは、*La bergère aux champs*（牧場の羊飼い娘）だ。作詞作曲不詳〔資料⑬〕。なお、YouTube のジャック・ドゥエ（Jacques Douai）の同曲演奏では、歌詞が多少異なるが、自ら弾く古楽器の伴奏にあわせ、古風な香り高い歌声を聴かせてくれる〔Cf. YouTube〕。

1. Y a rien de si charmant
 Que la bergère aux champs;
 Elle voit venir la pluie,
 Désire le beau temps:
 Voilà comme la bergère
 Aime à passer son temps.

　　　これほど愛くるしいものはない

牧場の羊飼い娘ほどに。
娘は雨がくるのがわかると
晴れてほしいと願う。
ほらね、羊飼い娘はどれほど
ゆっくり時間を過ごすのが好きか。

2. Son berger va la voir
Le matin et le soir:
« Oh! Levez-vous, bergère,
Bergère, levez-vous:
Les moutons sont en plaine,
Le soleil luit partout. »
恋人の羊飼いの若者が娘に会いに行く
朝に夕べに。
「おお！　起きて、羊飼い娘さん、
羊飼い娘さん、起きて。
羊たちが原っぱにいるよ、
太陽がいたるところで輝いている」

3. Quand la bergère entend
La voix de son amant,
Elle met sa jupe rouge,
Son joli cotillon,
S'en va ouvrir la porte
À son berger mignon:
羊飼い娘は
恋人の声を聞くと、

赤いスカートをはいて、
きれいなペチコートを着て、
扉をあけにいく
恋人の可愛い羊飼いの若者のために。

4. « Berger, mon doux berger,
Où irons-nous garder ? »
— Là-haut sur la montagne,
Le soleil y fait beau;
Cueillerons la violette,
Le romarin nouveau.

「羊飼いさん、あたしの優しい羊飼いさん、
あたしたち、どこに見張りに行くの？」
「あの山の、ほら、あの高いところだよ、
あそこでは太陽が美しく輝いている。
スミレを摘もうよ、
新しいマンネンロウも」

5. — Berger, mon doux berger,
Qu'aurons-nous à manger ?
— Des perdrix et des cailles;
Et de petits gâteaux,
Du vin de la bouteille
Que j'ai sous mon manteau.

「羊飼いさん、あたしの優しい羊飼いさん、
あたしたち、なにか食べるものはあるかしら？」
「イワシャコとウズラが何羽か、

それからビスケットと、
瓶詰ワインを
ぼくはマントの下にもってるよ」

6. — Berger, mon doux berger,
Où irons-nous loger ?
— Là-haut sur la montagne
Un beau château l'y a:
Nous logerons ensemble,
Parlera qui voudra !
「羊飼いさん、あたしの優しい羊飼いさん、
あたしたち、どこに泊まりに行こうかしら？」
「あの山の、ほら、あの高いところに
美しいお城があるんだ。
ぼくたち一緒に泊まろう、
いいたい奴には、いわせておくさ！」

歌詞３番：cotillon［昔の農民などの］ペチコート〔ロワイヤル仏和中辞典（旺文社）〕。

歌詞５番：perdrix「ヤマウズラ、イワシャコ」、cailles「ウズラ」、petits gâteaux「プチガトー、ビスケット・クッキー類」。〔プチ・ロワイヤル仏和辞典（旺文社）〕

10. *Biquette et le loup (Ah! Tu sortiras, Biquette...)*
雌の子ヤギとオオカミ（ああ！でておいで、子ヤギちゃん）

1. Biquett' ne veut pas
Sortir du chou:
子ヤギちゃんはしたくない
キャベツからでるなんてこと。

[Refrain]
Ah! Tu sortiras, Biquette, Biquette,
Ah! Tu sortiras de ce chou-là !
［ルフラン］
ああ！でておいで、子ヤギちゃんたら、子ヤギちゃん、
ああ！でておいで、このキャベツから！

2. On envoie chercher le chien,
Afin de mordre Biquette.
Le chien n'veut pas mordre Biquette,
Biquette n'veut pas sortir du chou !
イヌを探しに行かせる、
子ヤギちゃんに嚙みついてもらうために。
犬は子ヤギちゃんに嚙みつこうとしない、
子ヤギちゃんはキャベツからでようとしない！

3. On envoie chercher le loup,
Afin de manger le chien.
Le loup n'veut pas manger le chien,

Le chien n'veut pas mordre Biquette,
Biquette n'veut pas sortir du chou !
オオカミを探しに行かせる、
イヌを食べてもらうために。
オオカミはイヌを食べようとしない、
イヌは子ヤギちゃんに噛みつこうとしない、
子ヤギちゃんはキャベツからでようとしない！

4. On envoie chercher l'bâton,
Afin de battre le loup.
L' bâton n'veut pas battre le loup,
Le loup n'veut pas manger le chien,
Le chien n'veut pas mordre Biquette,
Biquette n'veut pas sortir du chou !
棒を探しに行かせる、
オオカミをぶつために。
棒はオオカミをぶとうとしない、
オオカミはイヌを食べようとしない、
イヌは子ヤギちゃんに噛みつこうとしない、
子ヤギちゃんはキャベツからでようとしない！

5. On envoie chercher le feu,
Afin de brûler l' bâton.
Le feu n'veut pas brûler l' bâton,
L' bâton n'veut pas battre le loup,
Le loup n'veut pas manger le chien,
Le chien n'veut pas mordre Biquette,

Biquette n'veut pas sortir du chou !

火を探しに行かせる、

棒を燃やすために。

火は棒を燃やそうとしない、

棒はオオカミをぶとうとしない、

オオカミはイヌを食べようとしない、

イヌは子ヤギちゃんに噛みつこうとしない、

子ヤギちゃんはキャベツからでようとしない！

6. On envoie chercher de l'eau,

Afin d'éteindre le feu.

Mais l'eau n'veut pas éteindre le feu,

Le feu n'veut pas brûler l'bâton,

L'bâton n'veut pas battre le loup,

Le loup n'veut pas manger le chien,

Le chien n'veut pas mordre Biquette,

Biquette n'veut pas sortir du chou !

水を探しに行かせる、

火を消すために。

しかし水は火を消そうとしない、

火は棒を燃やそうとしない、

棒はオオカミをぶとうとしない、

オオカミはイヌを食べようとしない、

イヌは子ヤギちゃんに噛みつこうとしない、

子ヤギちゃんはキャベツからでようとしない！

7. On envoie chercher le veau,

Pour qu'il puisse boire l'eau.
Mais le veau ne veut pas boire l'eau,
L'eau ne veut pas éteindre le feu,
Le feu n'veut pas brûler l'bâton,
L'bâton n'veut pas battre le loup,
Le loup n'veut pas manger le chien,
Le chien n'veut pas mordre Biquette,
Biquette n'veut pas sortir du chou !

子ウシを探しに行かせる、
子ウシが水を飲めるように。
しかし子ウシは水を飲もうとしない、
水は火を消そうとしない、
火は棒を燃やそうとしない、
棒はオオカミをぶとうとしない、
オオカミはイヌを食べようとしない、
イヌは子ヤギちゃんに噛みつこうとしない、
子ヤギちゃんはキャベツからでようとしない！

8. On envoie chercher l'boucher,
Afin de tuer le veau.
L'boucher n'veut pas tuer le veau,
Le veau ne veut pas boire l'eau,
L'eau ne veut pas éteindre le feu,
Le feu n'veut pas brûler l'bâton,
L'bâton n'veut pas battre le loup,
Le loup n'veut pas manger le chien,
Le chien n'veut pas mordre Biquette,

Biquette n'veut pas sortir du chou !

肉屋を探しに行かせる、
子ウシを殺すために。
肉屋は子ウシを殺そうとしない、
子ウシは水を飲もうとしない、
水は火を消そうとしない、
火は棒を燃やそうとしない、
棒はオオカミをぶとうとしない、
オオカミはイヌを食べようとしない、
イヌは子ヤギちゃんに嚙みつこうとしない、
子ヤギちゃんはキャベツからでようとしない！

9. On envoie chercher le juge,
Pour qu'il juge le boucher:
Le jug' ne veut pas juger l'boucher,
L'boucher n'veut pas tuer le veau,
Le veau ne veut pas boire l'eau,
L'eau ne veut pas éteindre le feu,
Le feu n'veut pas brûler l'bâton,
L'bâton n'veut pas battre le loup,
Le loup n'veut pas manger le chien,
Le chien n'veut pas mordre Biquette,
Biquette n'veut pas sortir du chou !

裁判官を探しに行かせる、
肉屋を裁くために。
裁判官は肉屋を裁こうとしない、
肉屋は子ウシを殺そうとしない、

子ウシは水を飲もうとしない、
水は火を消そうとしない、
火は棒を燃やそうとしない、
棒はオオカミをぶとうとしない、
オオカミはイヌを食べようとしない、
イヌは子ヤギちゃんに噛みつこうとしない、
子ヤギちゃんはキャベツからでようとしない！

10. On envoie chercher le diable,
Pour qu'il emporte le juge:
Le diable veut bien emporter l'juge,
Le juge veut bien juger l'boucher,
L'boucher veut bien tuer le veau,
Le veau veut bien boire l'eau,
L'eau veut bien éteindre le feu,
Le feu veut bien brûler l'bâton,
L'bâton veut bien battre le loup,
Le loup veut bien manger le chien,
Le chien veut bien mordre Biquette,
Biquette veut bien sortir du chou !
悪魔を探しに行かせる、
悪魔に裁判官を連れ去ってもらうために。
悪魔は裁判官を連れ去りたい、
裁判官は肉屋を裁きたい、
肉屋は子ウシを殺したい、
子ウシは水を飲みたい、
水は火を消したい、

火は棒を燃やしたい、
棒はオオカミをぶちたい、
オオカミはイヌを食べたい、
イヌは子ヤギちゃんに噛みつきたい、
子ヤギちゃんはキャベツからでたい！

[Refrain]
Ah! Tu es sortie, Biquette, Biquette,
Ah! Tu es sortie de ce chou-là !

[ルフラン]
ああ！ でちゃったよ、子ヤギちゃんたら、子ヤギちゃん、
ああ！ でちゃったよ、キャベツから！

〔資料⑬〕

biquette（ビケット）は「雌の子ヤギ」のことで、「雄の子ヤギ」は biquet（ビケ）という。子どもにたいする愛称にも使い、女の子には ma biquette、男の子には mon biquet といい、「かわいい子、おまえ」という呼びかけになる。この biquet や biquette は、地域語の話しことばで、古語の女性名詞 bique「雌ヤギ」から派生した語〔小学館ロベール仏和大辞典〕。ちなみに、一般にフランス語で「ヤギ」は chèvre（シェーヴル）といい、ほんらいは「雌ヤギ」を表す女性名詞。雄ヤギは bouc（ブク）、子ヤギは chevreau（シュヴロ）で、ともに男性名詞だ。

この歌では、ほかの動物たちが小文字なのに、Biquette だけが大文字になっている。単なる「子ヤギ」という動物名をさすだけでなく、「ビケット」という固有名詞も兼ねさせているのだろうが、あえて「子ヤギちゃん」と訳した。

歌詞は19世紀か、遡ってもせいぜい18世紀の作。直前の歌詞の主要なセンテンスが、単純に下から順に上に積み上げられていく構造なので、フランス語ではchanson à récapitulation〔資料Ⅱ-5、資料⑨〕、chanson énumérative〔資料③〕、chanson à addition〔資料⑪〕、chanson récapitulative、chanson randonnée〔資料②〕、chanson à accumulation等々、様々な呼び方をされる。日本語では、「積み上げ歌」と訳されているようだが、視覚的にも納得できる。

だが、récapitulation及びrécapitulativeが、動詞récapituler(〔話などの〕要点を繰り返す、思い返す)から派生した名詞・形容詞であり、また、randonnéeが、動詞randonner(〔獲物が〕円を描いて逃げ回る)から派生した過去分詞・形容詞であることを考慮にいれると、先行する歌詞のセンテンスが、次の歌詞の末尾で、直前のものから遡って順番に呼び返され付加されていくこの歌詞構造は、イメージ的には「思い返し歌」と訳していい類のものだ。

作曲は不詳だが、狩りの旋律が切れ切れに聞こえてくるという〔資料⑳〕。音節の切り方は単純、そして旋律は陳腐でなんどもくり返される、俗に「スィ」(scie)と呼ばれるジャンルの歌なので、幼い子どもは覚えやすい。

「積み上げ歌」には、登場するものたちの不服従をテーマにしたものがあり、フランスだけでなく、ヨーロッパの各地域の民謡や俗謡に見うけられる。

たとえば、ロレーヌ地方ではオオカミは森からでようとしない、アルザス地方では小さな男の子が果樹園の洋ナシを摘み取ることを拒否する、オランダではコブタが歩くのを拒み、少年はおんぶかだっこかしてくれないかぎり学校に行きたくないと駄々をこねる、……といったぐあいだ。

このように、登場するものが、順次、従うことを拒否していくが、最後に登場する悪魔が内心の悪の声に従ったとたん、その抗(あらが)いがたい力に、全員が前言を翻していき命令に従順になる、という歌の本筋だけは不変だ。

悪魔の役割を「死」la Mort や「絞首台」la potence に担わせるヴァージョンもあるが、特筆すべきは 19 世紀末に現れる「執行官」l'huissier だろう〔Cf. 資料②〕。人間を悪魔と同じ位置に据えたのだから。人類が、その後に経験する２度の世界大戦や核兵器の脅威を知る後世としては、未詳の作者が鳴らした警鐘に敬意を表したい。

悪魔がでたところで、一言。歌詞 10 番の２行目 …il (=le diable) emporte le juge 及び３行目 Le diable veut bien emporter l'juge の動詞 emporter の訳語は微妙だ。歌詞対訳では、(Que) le diable l'emporte !（あいつなんか悪魔にさらわれろ、消え失せてしまえ）〔小学館ロベール仏和大辞典〕という表現を踏まえ、emporter をふつうに「連れ去る」の意に汲んだが、Le choléra l'emporta.（コレラが彼［女］の命を奪った）〔ロワイヤル仏和中辞典（旺文社)〕のように、ストレートに「命を奪う」という意味にもなる。もっとも、悪魔がなにものかを連れ去るというのは、命を奪うということだろうから、結局は同じことだが、歌詞 10 番５行目に「肉屋は子ウシを殺したい」とあるので、「殺す」と同義の「命を奪う」の重複を避けることにした。

それにしても、歌詞１番から９番まで、ぐっと抑制されていた優しさの論理は、最後の歌詞10番で、一気に、弱肉強食の不条理に反転する。このドラマティックな仕掛けは、見せかけの平和がどれほど脆(もろ)く危ういものかを教えてくれる。弱者が強者の前に次々と変心していく様子に、子どもたちは、幼いうちは驚きながらもキャッキャ喜ぶだろうが、いずれ現実世界の投影にすぎないと知るときがくる。

いや、ひょっとすると、そんな大袈裟に考えるほどのことでないのかもしれない。ひとは、思っているとおりを、いつもそのまま表現するとはかぎらない。正反対の気持ちを述べながら、相手に意を汲め、真意を忖度(そんたく)せよと、無言のうちに要請する厄介な存在だ。それが歌詞1～9番の真相だとしたら、暴力と殺意は最初から示されていたということだ。

この歌をなんどもうたっているうちに、子どもたちは、長いものにまかれることも、生き延びる処世術として、ときには必要だということを学ぶだろう。その善悪は、だれにも決められない。

〔資料Ⅱ-5〕

11. *Bonjour, ma cousine*
こんにちは、ぼくの従妹さん

Bonjour, ma cousine.
Bonjour, mon cousin germain;
On m'a dit que vous m'aimiez,
Est-ce bien la vérité ?
Je n'm'en soucie guère
Je n'm'en soucie guère
Passez par ici et moi par là,
Au r'voir, ma cousine, et puis voilà !

「こんにちは、ぼくの従妹(いとこ)さん」
「こんにちは、あたしの本従兄(ほんいとこ)さん」
「あなたがぼくを愛しているって、ひとから聞いたよ、
それ、ほんとに、ほんとう？」
「あたし、そんなこと別に気にかけてないわ
あたし、そんなこと別に気にかけてないわ」
「こっちの方へ行きなさい、ぼくはあっちの方へ行くから、
さようなら、ぼくの従妹さん、はなしはこれでおしまい!」

〔資料II-7、Cf. 資料⑳、Mama Lisa's World〕

作詞作曲年代不詳。コンティーヌ。訳の男女の区別は、YouTubeで見たある動画を参考にした。遊び方としては、子どもたちは、2人1組のペアをつくり、輪になる。それぞれのペアが向きあい、以下のとおりに同じ仕草をする〔Cf. 資料⑳、Mama Lisa's World〕。

1. Bonjour, ma cousine で、右手で握手する。

2. Bonjour, mon cousin germain で、左手で握手する。
3. On m'a dit que vous m'aimiez で、注意を喚起するために、右手人さし指を小刻みに動かす。
4. Est-ce bien la vérité ? で、注意を喚起するために、左手人さし指を小刻みに動かす。
5. Je n'm'en soucie guère で、ペアの２人はそれぞれ、右肩越しに右手親指で後ろを指す。
6. Je n'm'en soucie guère で、ペアの２人はそれぞれ、左肩越しに左手親指で後ろを指す。
7. Passez par ici で、それぞれが、右側前方を示す。
8. et moi par là で、それぞれが左側後方を示す。
9. Au r'voir, ma cousine, et puis voilà ! で、ペアどうし、右手で握手し、それぞれが前に進むことによって、別のパートナーと出会い、最初から同じことを繰り返す。

また、この歌は上記の歌詞を延々とくりかえしながら踊るのが普通のようだが、歌詞２番、歌詞３番と続くヴァージョンもある。その場合、詩行３の On m'a dit que vous m'aimiez の vous m'aimiez（あなたがぼくを愛しているって）が、歌詞２番では vous m'admiriez（あなたがぼくに感心しているって）に、歌詞３番では vous m'regardiez（あなたがぼくを見つめているって）になり、ここでまた元の vous m'aimiez（あなたがぼくを愛しているって）に戻って、繰り返される。

12. *La bonne aventure, oh ! gué !*
ついてるぞ、ああ！なんて愉快！

1. (L'enfant)
Je suis un petit poupon
De bonne figure,
Qui aime bien les bonbons
Et les confitures:
Si vous voulez m'en donner,
Je saurai bien les manger.
La bonne aventure,
Oh ! gué !
La bonne aventure !

(子ども)
ぼくは赤ちゃん
いつもにこにこ、
大好きなのは、キャンディーと
ジャムだよ。
それをぼくにくれるのなら、
ぼく、ちゃんと食べられるよ。
ついてるぞ、
オ！　ゲ！
ついてるぞ！

2. (La mère)
Lorsque les petits garçons
Sont gentils et sages,

On leur donne des bonbons,
De belles images;
Mais quand ils se font gronder,
C'est le fouet qu'il faut donner.
La triste aventure !
Oh ! gué !
La triste aventure !

(母)
男の子は
おとなしくお利口さんにしていると、
もらえるのよ、キャンディーと、
美しい絵本が。
でも、叱られるときは、
おしりぺんぺんなんだ。
ついてないぞ！
オ！　ゲ！
ついてないぞ！

3. (L'enfant)
Je serai sage et bien bon,
Pour plaire à ma mère;
Je saurai bien ma leçon,
Pour plaire à mon père:
Je veux bien les contenter,
Et s'ils veulent m'embrasser !
La bonne aventure,
Oh ! gué !

La bonne aventure !

(子ども)

ぼくは、お利口さんでうんといい子でいよう、

お母さんに気に入られるように。

ぼくは、躾(しつ)けられたことをちゃんと覚えよう、

お父さんに気にいられるように。

ぼくはお母さんとお父さんを満足させたい、

で、ふたりがぼくにキスする気になってくれたら！

ついてるぞ、

オ！　ゲ！

ついてるぞ！

〔資料⑬他〕

紹介したマルタン・ペネ版では、歌詞1番冒頭は、Je suis un petit garçon で始まるが、多くの他の歌集にならって、Je suis un petit poupon とした。petit garçon は12歳ぐらいまでの「男の子」、petit poupon は文字どおり「(歩けない) 赤ん坊、赤ちゃん」だ。YouTube の映像は、すべて赤ちゃん。要するに、男の赤ちゃんとお母さんの対話形式の歌だ。

また、歌中の la bonne aventure だが、通常は「(ひとの) 未来」の意味で、たとえば dire la bonne aventure à qn（ひとの未来［運勢・吉凶］を占う）のように使う。diseur de bonne aventure といえば、「占い師」だ。しかしこの歌では、la bonne aventure（すてきな出来事）は la triste aventure（悲しい出来事）と対になっているので、前者を「ついてるぞ」、後者を「ついてないぞ」と意訳した。

子どもが輪踊りするときのワクワクするような楽しい歌だ。歌詞の内容は単純だ。お利口な子供はご褒美がもらえるが、いうことを聞かない子は鞭打ちか平手打ちを食らうという。しかし、対象は赤ちゃんだ。ほっぺを、あるいはお尻を軽くぺんぺんするぐらいのことだろう。

いくつかフランス語の説明をしておこう。

歌詞１番：bonne figure だが、avoir bonne figure (= mine) で「顔色がよい、健康である」、avoir une bonne figure (=visage) で「優しそうな顔をしている」の意味になる。前者からは「元気潑剌（はつらつ）」「血色のよい」、後者からは「(赤ちゃんらしい) 無邪気ないい表情」のニュアンスを汲み取れるだろう。双方兼ね合わせて、「いつもにこにこ」と訳した。

：Oh ! gué ! は囃子ことばで、古い版では Ô gué になっている。「あら、楽し」「ああ、愉快」といったニュアンス。ô は主に文語・悲劇体の詩文に用い、oh ! と違って単独で用いることができず、後ろにヴィルギュル（コンマ）や感嘆符を置かない〔白水社仏和大辞典、小学館ロベール仏和大辞典〕。現在では oh ! のほうがふつうで、「驚き、喜び、憤慨などさまざまな感情を表す」間投詞だ〔プチ・ロワイヤル仏和辞典（旺文社)〕。

歌詞２番：belles images ／ belle image：古いフランス語では「お人形さん」で、比喩的には「冷たい美女」の意味だが、ここでは、現代風の「美しい絵本」のことだろう。

：Ils se font gronder の gronder は他動詞で「(子ども

などを）しかる、たしなめる」の意味〔小学館ロベール仏和大辞典〕。従って、ここでは「(男の子たちが）叱られるときは」となる。

歌詞３番：Je saurai bien ma leçon だが、savoir ma leçon で「課題を覚える」の意だ。ここの主人公は赤ちゃんだから、赤ちゃんらしく、「することと、してはいけないことを守る」、もっと具体的にいえば、「躾を守る、躾けられたことをちゃんと理解する」ということだろう。

＊

作詞作曲不詳。ただこのシャンソンに使われているリズムと音楽については、マルティーヌ・ダヴィドとアンヌ＝マリ・デルリューがその来歴を辿っているので、簡潔に紹介しておこう。この歌のリズムは非常に古く、13 世紀のトゥルヴェール、チボー・ドゥ・シャンパーニュ（Thibaut de Champagne, 1201-1253）にまで遡れるという。音楽に関しては、しばしばアンリ４世治世下（在位 1589-1610）の王室礼拝堂合唱隊長ウスターシュ・ドゥ・コロワ（Eustache de Caurroy）作曲とされてきた。その後 1700 年に上演されたダンクール（Dancourt）のヴォードヴィル『3 人の従姉妹たち』（*Les Trois Cousines*）のなかのジリエ（Gilliers）作曲「運勢」（*Bonne Aventure*）が、そのコロワ版をもとにしている。また、1712 年のクリストフ・バラール（Christophe Ballard）編纂『千一の曲』（*Mille et un airs*）所収の「もし王様が…」（Si le Roy…）で始まる歌詞にも、同様の記譜が見られる。

ところで、この「もし王様が…」という歌詞は、モリエール作『人間嫌い』の第１幕第２場で、宮廷貴族オロントが自作ソネへのコメントをアルセストに執拗にせがみ、癇癪をおこしたアルセストが、当代の飾り立てた気取った詩よりも古(いにしえ)の素朴な歌のほうが自然でよいといい放つ場面で、モリエールによって引用された歌詞である。歌詞の作者はナヴァール王でアンリ４世の父であるアントワーヌ・ドゥ・ブルボン（Antoine de Bourbon）とされ、ヴァンドーム（Vendôme）近郊の村ゲ＝デュ＝ロワール（Gué-du-Loir）にあった居城「ボンヌ＝アヴァンチュール城」（château de Bonne-Aventure）に客人を招いた際に作ったものと推測されている。そして、このふたつの地名から有名なルフランLa bonne aventure, oh！gué！が生まれ、この章で取り上げた子どもの歌 *La bonne aventure, oh ! gué !*（ついてるぞ、ああ！　なんて愉快！）のタイトルとルフランに使われるにいたったというわけだ。

現在のメロディだが､同じバラールが1719年に出版した『まじめな歌と酒の歌選集』(*Recueil d'airs sérieux et à boire*)所収のポントー（Ponteau)編曲「おれの小さなあばら家のなかで」(*Dedans mon petit réduit*)が元曲だ｡〔資料②〕

ところで､文豪ヴィクトル・ユゴー（Victor Hugo, 1802-1885）は､この曲のリズムに合わせて「古い旋律にのせた新しい歌」(*Nouvelle chanson sur un vieil air*)という詩を書いている。そして､1915年､サン＝サーンス（Camille Saint-Saëns, 1835-1921)がこのユゴーの詩に付曲している〔資料②〕。

13. *Bon voyage, Monsieur Dumollet*
よいご旅行を、デュモレさん

[Refrain]
Bon voyage, Monsieur Dumollet,
À Saint-Malo débarquez sans naufrage,
Bon voyage, Monsieur Dumollet,
Et revenez si le pays vous plaît.

［ルフラン］
よいご旅行を、デュモレさん、
サン＝マロに、無事にご上陸を、
よいご旅行を、デュモレさん、
そしてもし故郷がいいとなれば、戻っておいでなさい。

1. Mais si vous allez voir la capitale,
Méfiez-vous des voleurs, des amis,
Des billets doux, des coups, de la cabale,
Des pistolets et des torticolis.

それでも、あんたが首都を見物しに行くのなら、
用心なさいよ、泥棒や、友だち面した輩(やから)に、
恋文に、殴打に、陰謀に、
ピストルに、ねじられた首の痛みに。

2. Là, vous verrez, les deux mains dans les poches,
Aller, venir des sages et des fous,
Des gens bien faits, des tordus, des bancroches,
Nul ne sera jambé si bien que vous.

首都じゃ、見かけるでしょう、両手をポケットにつっこんで、
行ったり来たりするのを、お利口さんやおバカさんたちが、
容姿のいい人たちや、みてくれのわるい人たちや、ガニ股の人たちが、
でもだれひとりとして、あんたほど恰好よい脚のひとはいないさ。

3. Des polissons vous feront bien des niches,
À votre nez riront bien des valets,
Craignez surtout les barbets, les caniches,
Car ils voudront caresser vos mollets.
悪童たちが、あんたに数々の悪戯を仕掛けるだろう、
多くのおべっか使いたちが、あんたの鼻先で笑うだろう、
特にバーベット犬やプードル犬にはご用心、
そいつらは、あんたの脹脛(ふくらはぎ)にじゃれつきたがるだろうから。

4. L'air de la mer peut vous être contraire,
Pour vos bas bleus, les flots sont un écueil;
Si ce séjour venait à vous déplaire,
Revenez-nous avec bon pied bon œil.
海の空気は、あんたのからだには良くないよ、
あんたの青い長靴下にとっちゃ、波は障害物さ、
そっちの滞在があんたの気に入らないってことになりゃ、
足も目も達者なうちに、おれたちのところに戻ってきな。

〔資料⑨〕

最初に、いくつかの語句の説明をしておこう。

歌詞1番：des coups, de la cabale「殴打に、陰謀に」が、資料②では des coups de la Cabale「陰謀の数々」になって

いる。耳で聴いたときには、ヴィルギュル（コンマ）1個の間が聴きとれるかどうかで、どちらかが決まる。

歌詞２番：jambé(e) は、古い表現で bien(mal) jambé(e)「脚の恰好がよい（悪い）」という使い方をする。歌中の Nul ne sera jambé si bien que vous が、Nul ne sera si bien jambé que vous となっているヴァージョンもある。意味は同じ。

歌詞３番：polisson(ne)「（古風）街をうろつく不良、ちんぴら」。

：niche「（話）いたずら」。

：valet「卑屈なひと、おべっか使い、おもねるひと」。

：barbet「バーベット犬［狩猟犬で、カモ猟に適する］」、「バルベ犬」ともいう。

：caniche「プードル犬」。

：mollet「脹脛（ふくらはぎ）」、形容詞の mollet(te) は「柔らかい、ふんわりした」の意。

歌詞４番：bas「[古語] 男子用長靴下、ネザーストックス（半ズボンに留めた、リボン・飾りひも付き靴下）」〔小学館ロベール仏和大辞典〕。

：bon pied bon œil = avoir bon pied, bon œil「壮健である、ぴんぴんしている」。

ここに紹介したのは、子どもたちも含めて、現在のフランス人たちがふつうにうたうシャンソン、現代版「よいご旅行を、デュモレさん」の歌詞である。ふつうにというのは、元歌に、歌詞２～４番は存在しない。それについては後述しよう。

さて、その元歌だが、マルティーヌ・ダヴィッドとアンヌ＝マリ・デルリューによれば、マルク＝アントワーヌ・デゾジエ（Marc-Antoine Désaugiers,1772-1827）が作詞作曲した、歌と踊りを伴う1幕物軽喜劇（ヴォードヴィル）『サン＝マロに向けて出航』（*Le départ pour Saint-Malo*）の終幕におかれた曲だそうだ。デゾジエは、パリのモントルグイユ通りにあったバレーヌ（Baleine）のレストラン「オ・ロシェ・ドゥ・カンカル」（Au Rocher de Cancale）に集った「カヴォ・モデルヌ」（Caveau Moderne）の会長を務めた有名人。伝記作者のひとりにいわせると、素晴らしい作曲者であるとともに美声の持ち主で、聴衆を魅了したという。この風刺的な軽喜劇は、1809年7月25日、パリのヴァリエテ＝パノラマ劇場（le théâtre des Variétés-Panorama）で初演されたが、この元歌だけはデゾジエ作曲ではなく、かつてポン＝ヌフでうたわれていた古い流行歌「おめでとう、ドゥニさん」（*Bonne Fête, Monsieur Denis*）の旋律を借りているという。当然、無名の作者だから、作詞作曲不詳だ。しかし、いまでは、デゾジエの喜劇のほうはすっかり忘れ去られているのに、原作のヴォードヴィルの挿入歌にすぎなかったシャンソン「よいご旅行を、デュモレさん」は、形を変え、独立した歌として後世に残った。〔資料②〕

ジャン＝クロード・クランも、田舎から都会に上京してきた間抜けな人物をからかうのが大好きというパリっ子たちの際立った嗜好、――つまり、悪趣味、――のおかげだとしている。さらに、デゾジエのヴォードヴィルで造形されたデュモレさんは、モリエールの3幕物コメディバレエ（comédie-ballet）『プールソニャック氏』（*Monsieur de Pourceaugnac*）に着想を得た「サン＝マロの大手の靴下売り」（le plus gros marchand de bas de Saint-Malo）という役どころだという。〔資料③〕

これでわかった、歌詞4番2行目「あんたの青い長靴下にとっちゃ、波は障害物さ」と、デュモレさんの靴下に言及しているのが。自分の店の自慢の上等の靴下なのだろう。塩分を含んだ波しぶきを浴びては、元も子もない。ただ、童謡絵本『昨今のシャンソン』(*Chansons d'hier et d'aujourd'hui*, Gallimard Jeunesse, 1993)〔資料Ⅱ-5〕に描かれたデュモレさんのズボンは青いが、残念ながら靴下はズボンに隠されて見ることができない。

それにしても、デュモレさんの靴下はなぜ「青い」のか?「青」がブルボン王朝の色だったことはよく知られている。フランス革命による下剋上で、貴族に取って代わったブルジョワの典型デュモレさんが「青」に憧れたと、想像できなくもない。そういえば、sang bleu(青い血)といえば「貴族の血筋」のことだった。

ところで、マルティーヌ・ダヴィッドとアンヌ=マリ・デルリューは、この喜劇(コメディ)の筋を要約しても無駄だといいつつも、現代版「よいご旅行を、デュモレさん」の歌詞2番〜4番の理解に役立つようにと、台本上の関連ある出来事に、部分的に触れてくれている〔資料②〕。予想通り、デュモレさんは都会でけっこう不幸な目にあっている。観客としては笑う場面かもしれないが、むしろ同情を買ったフシがある。現代版の歌詞から推してのことだが。

*

ところで、前掲の童謡絵本『昨今のシャンソン』に添えられた思いもかけない一言、──「このシャンソンは政治的なことに由来しているのか? あるいは単に19世紀初めのブルジョワ社会を揶揄(やゆ)しているだけなのか?」、──が気になった。この問いかけへの答えは、この絵本には記されていない。もとより、子どもには答えようもないから、そばにいる親向け、つまり、大人に向けての問いかけだ。なら、思い違い覚悟で考えてみよう。

その前に、そもそも「デュモレさん」とは何者だろう？……伝承歌謡で固有名詞が登場すると、決まってフランス人好事家の「それは、実在のだれなのだ？」の詮索が始まる。「兵卒ルセル」（*Cadet Rousselle*）の「ルセル」のモデル探しと同じで、諸説でたところで、この歌の鑑賞に影響しない。荒唐無稽な筋立てに、現実の人物がいちいち対応するはずがないからだ。幸い、いまのところ、「デュモレさん」が歴史上のある人物に特定されたフシはないようなので、ありがたい。

件のデュモレさんの、――どこに在住かは詳らかでないが、――行き先は、まずはルフラン部で何度もくりかえされる「サン＝マロ」（Saint-Malo）だ。次に、歌詞1番「それでも、あんたが首都を見物しに行くのなら」で推し測れば、首都パリ見物に憧れている。そして、歌詞2～3番はその首都パリでの危惧だろうが、歌詞4番では明らかに「サン＝マロ」を心配している。

そのサン＝マロは、英仏海峡に面し、フランス北西部ブルターニュ半島の城塞に囲まれた港町で、ランス川河口の右岸に位置する。ロマン派の作家シャトーブリアン（François-René de Chateaubriand,1768-1848）は、このサン＝マロ近郊のコンブール（Combourg）の城で貴族の子として生まれた。墓は、サン＝マロの城塞の浜辺からほど近いグラン・ベ島（île du Grand Bé）にあり、干潮時には歩いて渡ることができる。

サン＝マロは16世紀に大躍進を遂げるが、理由のひとつは、サン＝マロを3度にわたって出港したジャック・カルティエ（Jacques Cartier,1491-1557）が、1534年から1542年にかけての航海で、カナダに入植したことだ。それは、カナダの猟師が供給する毛皮取引による大儲けにつながった。もうひとつの理由は、英仏海峡に進出し、ニューファンドランド沖のタラ漁で大いに潤ったことだ。要するに、誤解を恐れずいえば、粗暴な海賊たち(corsaires) の根城がサン＝マロだったわけだ。一説に、1590年から4年間、サン＝マロは、「フランス人でもなく、ブルターニュ人でもなく、サン＝マロ人だ」というモットーを掲げて、独立共和国であるとの宣言さえしたという〔資料⑲〕。

かつて海賊たちが出航した港町がサン＝マロだった歴史を踏まえると、そのサン＝マロに向けて出航しようとする田舎者のデュモレさんは、いかに憧れてのこととはいえ、危険な町へ旅立つことになる。故郷の仲間たちが心配するのも無理はない。

童謡絵本のイラストの描写では、青のズボン、緑の上着を羽織った白髪で太鼓腹の堂々たる体軀の人物で、船上にすっくと立ち、箱型の旅行鞄を足元に置き、右手に傘、左手にシルクハットを抱え、胸を張り、さあ出発だとばかり、意気軒高だ。ご本人に、先行きを心配している様子はさらさらない。

とはいえ、このシャンソンは、あくまで19世紀初め1809年作のヴォードヴィルでの挿入歌だ。「サン＝マロ」が担う歴史性・社会性、ひいては政治性をからめて聴き取るのは大袈裟だろう。首都パリであっても同様だ。

とすれば、16世紀まで遡らずとも、18世紀末1789年のフランス革命後、没落した王侯貴族にかわり、天下をとって間もない第1帝政下の「ブルジョワ社会」を、「田舎者のデュモレさん」になぞらえ単純にからかっているだけ、という見方もできる。そのほうが、素直な解釈かもしれない。童謡絵本の問いかけへの私的な回答がこちらだ。なにせ、デュモレさんは、旅ができるほどのお金持ちで、「サン＝マロ」や「首都」に憧れてはいるが、都会の怖さを知らないお上りさんなのは事実だから。アンシャン・

レジーム期なら、考えにくい冒険だ。

デュモレ（Dumollet）姓の綴り字に注目しよう。〈Du+mollet〉の合成語だが、手元の固有名詞辞典には記載はない。mollet は男性名詞で「脹脛（ふくらはぎ）」のことだから、Monsieur Dumollet とは、さしずめ「脹脛さん」、というところだろう。確かにこの歌には、単語こそ違え、「脹脛」以外にも、「ガニ股」だとか、「恰好（かっこう）よい脚」だとか、「足が達者」だとかの「脚・足」の表現が複数出てくる。

ただ、mollet から派生した形容詞〈mou/mol(le)〉の意味が「柔らかい・柔弱な・だらけた」であることからすると、デュモレさんが、――童謡絵本に見る威風堂々としたイメージには反するが、――健脚であるとは考えにくい。avoir les jambes molles（足がへなへなである）のフランス語表現があるだけに、なおさらだ。家族や友人たちは、デュモレさんのサン＝マロ行きであれパリ行きであれ、心底、案じたことだろう。

ところで、ヴォードヴィルで実際にうたわれた元の歌詞、――つまり、デゾジエ自身の作詞部分、――は、どうだったのだろう。マルティーヌ・ダヴィッドとアンヌ＝マリ・デルリューが紹介している〔資料②〕。

[Refrain]
Bon voyage
Cher Dumollet
À Saint-Malo débarquez sans naufrage
Bon voyage

Cher Dumollet
Et revenez si le pays vous plaît.

[ルフラン]
よいご旅行を
親愛なるデュモレさん
サン＝マロに、無事にご上陸を
よいご旅行を
親愛なるデュモレさん
そしてもし故郷がいいとなれば、戻っておいでなさい。

P' t-êt bin qu'un jour une femme charmante
Vous rendra père aussi vite qu'époux.
Tâchez, c'te fois qu' personn' ne vous démente
Quand vous direz que l'enfant est à vous.

多分、いつの日か、愛くるしい女性が
あんたの妻となり、すぐにもあんたは父親になるでしょう。
そのとき、だれにも否定されないようになさい
この子は自分の子だといったときにね。

Si vous venez revoir la capitale
Méfiez-vous des voleurs, des amis
Des billets doux, des coups de la cabale,
Des pistolets et des torticolis.

もしあんたが、首都をまた見物しにくるのなら
用心なさいよ、泥棒に、友だち面した輩に
恋文に、陰謀の数々に、
ピストルに、ねじられた首の痛みに。

〔注〕

la capitale：「首都」で、パリのこと。YouTube で背後にエッフェル塔のイラストが描かれている映像を 1 件見た。エッフェル塔ができたのは 1889 年で、この歌のできた 1809 年のちょうど 80 年後だから、いくらパリの象徴とはいえ笑止だ。ノートル = ダム大聖堂にでもしておけばよかったのに。

billets doux：[古] 恋文、ラヴレター (= billets galants)。但し現代では lettre d'amour という。

[Dumollet]
Allez au diable! et vous et votre ville,
Où j'ai souffert mille et mille tourments.

[デュモレ]
消え失せろ、あんたたちもあんたたちの町も、
この町でわしは数々の苦しみを嘗めた。

[au public]
Il vous serait cependant bien facile
De m'y fixer, messieurs, encor longtemps.
Pour vous plaire je suis tout prêt
À rétablir ici mon domicile
Faites connaître à Dumollet
S'il doit rester ou faire son paquet.

[観客にむかって]
とはいえ、あんたたちにとっては至極容易なことだろうよ
わしにこれからも長くここに身を落ち着かせるのは。
あんたたちに気に入られるように、わしはちゃんと準備している

ここにわしの住まいを再建することを
このデュモレに、ちゃんと伝えてくれよ
デュモレがここに留まるべきか、荷造りして出発すべきかを。

[Tous]
Pour vous plaire, le voilà prêt
À rétablir ici son domicile
Faites connaître à Dumollet
S'il doit rester ou faire son paquet.

［全員］
あんたたちに気に入られるように、ほら、ちゃんと準備している
ここにあいつの住まいを再建することを
デュモレに、ちゃんと伝えろよ
デュモレがここに留まるべきか、荷造りして出発すべきかを。

細かいことだが、元歌はいま見たように、「もしあんたが、首都をまた見物しに来るのなら」（Si vous venez revoir la capitale）となっていて、デュモレさんのパリ再訪を云々しているが、我々の現代版「よいご旅行を、デュモレさん」歌詞1番では、「それでも、あんたが首都を見物しに行くのなら」（Mais si vous allez voir la capitale）と改変されていて、デュモレさんは行くとしても初めてのパリ訪問であることを仄めかしている。この違いは微妙だ。

なら、この微妙な違いを含め、現代版「よいご旅行を、デュモレさん」の歌詞2番～4番の作者は、いったいだれなのか？

マルティーヌ・ダヴィッドとアンヌ＝マリ・デルリューによれば、——都会である「サン＝マロと首都（パリ）のあいだで

躊躇している」デュモレさん、そしてデゾジエの表現を借りれば「数々の苦しみを嘗めた」ことのあるデュモレさん、――その「デュモレさんに呼応した観衆が、疑いもなく」現代版の歌詞2～4番を書き、元歌の「デゾジエの歌詞につけ加えたのだ」と、断言している。よって、その作者が判明することはない。

*

19世紀末にこの歌は子どもの歌のレパートリーに取り入れられ、おかしな名前のおバカさんにまつわる脈絡のない話と、覚えやすいルフランとがあいまって、シャンソン「兵卒ルセル」同様、滑稽歌の仲間入りを果たしたのである。

〔資料Ⅱ-5〕

14. *Le carillon de Vendôme*
ヴァンドームのカリヨン

Mes amis, que reste-t-il
À ce Dauphin si gentil ?
Orléans, Beaugency,
Notre-Dame de Cléry,
Vendôme, Vendôme !

我が盟友よ、なにが残されたというのか
あのかくも勇敢な王太子には？
オルレアン、ボージャンスィ、
クレリのノートル＝ダムに、
そしてヴァンドームが、ヴァンドームのみが！

〔資料⑨、資料⑬〕

作詞作曲不詳。アンヌ・ブアン（Anne Bouin）によれば、5声によるカノン形式のコンティーヌだそうだ〔資料⑨〕。音楽の素人には、おおまかに5部輪唱といったほうが、わかりやすいだろう。短い歌詞を、なんどもくり返しうたう。

タイトル「ヴァンドームのカリヨン」のカリヨン（carillon）とは、「教会の塔につるされ、鍵盤または時計仕掛けで奏される1組の鐘」で、「本来は3～8個の組鐘（くみがね）であったが、30～50個からなる大規模なものもある」〔小学館ロベール仏和大辞典〕。この歌の旋律は、もちろんカリヨンの節（ふし）だ〔資料⑨〕。歌中に登場する都市のいくつかの鐘楼で、16世紀から18世紀末にかけて、つまりフランス革命が勃発するまで、この調べがカリヨンで奏されていた。

*

マルティーヌ・ダヴィッドとアンヌ＝マリ・デルリュー共著『子ども時代の歌、流行歌60曲の歴史』（Martine David, Anne-Marie Delrieu, *Refrains d'enfance, Histoire de 60 chansons populaires*, Herscher, 1988.）によれば、ヴァンドームにあるトリニテ大修道院 l'Abbaye de la Trinité のカリヨンも、14世紀のカノンの調べが奏されていたという。「オルレアン、ボージャンスィ……」とうたうときのメロディだ。

ré mi do, ré mi do,
ré mi fa mi ré mi do
mi ré, do mi ré, do
do do do (3 heures)

レ・ミ・ド、レ・ミ・ド、
レ・ミ・ファ・ミ・レ・ミ・ド
ミ・レ、ド・ミ・レ、ド
ド・ド・ド（3時課）

18世紀末に勃発したフランス革命時（1789-99）には、多くの教会の鐘が溶解され、再利用に供された。そのなかに大砲も含まれていた。革命以後、カリヨンにかわり時を告げるようになったのは、サン＝マルタン塔 Tour Saint-Martin の大時計 horloge の単調な調べだったという。

だが、1948年、カリヨンをこよなく愛するヴァンドームの市会議員ポール・デュジャルダン（Paul Dujardin）が、往時のカリヨンのメロディ復活を訴えた。そして新しい鐘が鋳造され、大革命後、約150年間忘れられていたカリヨンの音が町に響くようになった。

なお、シャンソン「ヴァンドームのカリヨン」の短い歌詞には、百年戦争（Guerre de Cent Ans,1337-1453）の最も暗い時期に、フランス王領の置かれていた状況が示されているという。

たとえば、歌中のオルレアンとボージャンスィは、イギリス軍の侵略に抵抗し、フランスの勝利を導いた町だ。ボージャンスィの城主はデュノワ大公ジャン・ドルレアン（Jean d'Orléans, prince de Dunois,1402-68）、そしてイギリス軍に包囲されていたオルレアンを解放したのがジャンヌ・ダルク（Jeanne d'Arc,1412頃-31）で、ふたりは共に盟友だった。

ヴァンドームもまた、戦略上重要な位置を占めていただけでなく、クレリ Cléry とともに「教会の長女たるフランス」（fille aînée de l'Église）の信仰心に固く結びつけられた町でもある。さらに、フランス革命以前には、十字軍が持ち帰った、キリストがラザロに流したとされる聖なる涙が奉納された巡礼地でもあった。

今日、「ヴァンドームのカリヨン」の調べは、ボージャンスィの鐘塔 beffroi de Beaugency、クレリのノートル＝ダム寺院 Notre-Dame de Cléry、オルレアンの教会のひとつでも鳴り響いている。〔前掲書参照〕

＊

さて、歌詞冒頭の「なにが残されたというのか／あのかくも勇敢な王太子には？」の意味は、これでわかっただろう。王太子に残されたのは、オルレアン、ボージャンスィ、クレリのノートル＝ダム、そしてヴァンドームだけだったという話。語句を説明しておこう。

gentil：［古］高貴な生まれの、気高い、勇敢な〔小学館ロベール仏和大辞典〕。

Orléans（オルレアン）：パリ南方約100キロ、ロワール川中流域にある都市。かつて、交通の要衝として重要だった。カペー朝以来王領とされ、フランス王家のものが領有し、オルレアン公と称した。

Beaugency（ボージャンスィ）：フランス中北部、ロワレ県のコミューヌ。ロワール川沿いで、オルレアンの下流、ブロワの上流に位置する。

Notre-Dame de Cléry（クレリのノートル=ダム）：ロワレ県のオルレアン郡クレリ=サン=タンドレ小郡クレリ=サン=タンドレ（Cléry-Saint-André）にあるノートル＝ダム寺院Basilique Notre-Dameを指している。

Vendôme（ヴァンドーム）：サントル=ヴァル・ドゥ・ロワール地域圏、ロワール=エ=シェール県のコミューヌ。9世紀に成立したヴァンドーム伯領の本拠地。14世紀後半からアンリ4世の即位まで、ヴァンドーム伯領はフランス王家ブルボン家の分枝ブルボン=ヴァンドームに属していた。

15. *C'était un roi de Sardaigne*
サルデーニャ王

1. C'était un roi de Sardaigne,
   Qui faisait si peur aux gens,
   Il avait mis dans sa tête
   De détrôner le Sultan,
   昔、サルデーニャにひとりの王様がいました、
   人びとにひじょうに怖がられていました、
   サルデーニャ王は決めていました
   サルタンを退位させようと、

   [Refrain]
   Ran tan plan, par derrière,
   Ran tan plan, par devant.
   ［ルフラン］
   ラン・タン・プラン、背後から、
   ラン・タン・プラン、正面から。

2. Il avait mis dans sa tête
   De détrôner le Sultan.
   Il avait pour toute armée
   Quatre-vingt-dix paysans,
   サルデーニャ王は決めていました
   サルタンを退位させようと。
   サルデーニャ王の軍隊は全部で
   90 名の農夫からなっていました、

3. Il avait pour toute armée
Quatre-vingt-dix paysans,
Et pour toute artillerie
Quatre canons de fer blanc,
サルデーニャ王の軍隊は全部で
90 名の農夫からなっていました、
そして大砲は全部で
ブリキ製４砲でした、

4. Et pour toute artillerie
Quatre canons de fer blanc,
Quand il fut sur la montagne,
« Mon Dieu ! que le monde est grand ! »
そして大砲は全部で
ブリキ製４砲でした、
サルデーニャ王は山頂に立ったとき叫びました、
「おや、なんたること！　なんて世界は広いんだ！」

5. Quand il fut sur la montagne,
« Mon Dieu ! que le monde est grand ! »
L'ennemi vint à paraître,
Sauv' qui peut, allons-nous-en !
サルデーニャ王は山頂に立ったとき叫びました、
「おや、なんたること！　なんて世界は広いんだ！」
そのときたまたま敵が現れました、
逃げろ！　逃げだそう！

〔資料II-5〕

この歌詞は、ジャン＝バティスト・ヴェケルラン（Jean-Baptiste Weckerlin,1821–1910）が確定したもので、1870年のこと。

サルデーニャ王はとるに足らない軍勢と武器で、サルタンから王位をはく奪しようと思いたつ。しかし、それはいわば「井の中の蛙、大海を知らず」に等しく、山の頂に上って初めて世界の広大さを知り、敵の軍勢の強大さに圧倒され、臆病風に吹かれ、味方の農民軍90名に敗走を命じるにいたる。

日頃、民衆に怖がられる存在であってさえ、なおかつ自分より強いものの前では怯える。きりのない権力欲にも挫折はあるという教訓かもしれないが、内容としては凡庸で陳腐で、取るに足らない。

歌詞1番：Sardaigne サルデーニャ島。イタリア半島の南西、コルシカ島のすぐ南に位置する地中海第2の島で、イタリアの自治州。

Sultan：サルタンは、①オスマントルコ帝国の皇帝、②イスラム教国の君主。

歌詞5番：Sauv' qui peut（＝Sauve qui peut）は、se sauve qui peut の再帰代名詞 se が省略された形。意味は「逃げられるものは逃げろ、（勝手に）逃げろ、待避せよ」。

〔ロワイヤル仏和中辞典（旺文社）、小学館ロベール仏和大辞典〕

16. *Le chevalier du guet (Compagnons de la Marjolaine)*
国王巡邏隊隊長（マルジョレーヌの仲間たち）

1.［**Chœur**］
Qu'est-ce qui passe ici si tard,
Compagnons de la marjolaine ?
Qu'est-ce qui passe ici si tard ?
Gai, gai, dessus le guet !

［**合唱**］
だれだろう、こんなに夜遅くここを通るのは、
マルジョレーヌの仲間たち？
だれだろう、こんなに夜遅くここを通るのは？
ゲ、ゲ、ドゥスュ・ル・ゲ！

［**Chevalier du guet**］
— C'est le Chevalier du Guet,
Compagnons de la marjolaine,
C'est le Chevalier du Guet,
Gai, gai, dessus le guet !

［**国王巡邏隊隊長**］
「国王巡邏隊隊長だ、
マルジョレーヌの仲間たち、
国王巡邏隊隊長だ、
ゲ、ゲ、ドゥスュ・ル・ゲ！」

2.［**Chœur**］
— Que demande le chevalier,

Compagnons de la marjolaine ?
Que demande le chevalier ?
Gai, gai, dessus le guet !

［**合唱**］
「隊長はなにを求めているの、
マルジョレーヌの仲間たち？
隊長はなにを求めているの？
ゲ、ゲ、ドゥスュ・ル・ゲ！」

［**Chevalier du guet**］
— Une fille à marier,
Compagnons de la marjolaine,
Une fille à marier,
Gai, gai, dessus le guet !

［**国王巡邏隊隊長**］
「結婚相手の娘さ、
マルジョレーヌの仲間たち、
結婚相手の娘さ、
ゲ、ゲ、ドゥスュ・ル・ゲ！」

3. ［**Chœur**］
— Mais y'a pas d'filles à marier,
Compagnons de la marjolaine,
Y'a pas d'filles à marier,
Gai, gai, dessus le guet !

［**合唱**］
「しかし結婚相手の娘はいないよ、

マルジョレーヌの仲間たち、
結婚相手の娘はいないよ、
ゲ、ゲ、ドゥスュ・ル・ゲ！」

［**Chevalier du guet**］
― On m'a dit que vous en aviez,
Compagnons de la marjolaine,
On m'a dit que vous en aviez,
Gai, gai, dessus le guet !

［**国王巡邏隊隊長**］
「あなたたちには適齢期の娘さんがいるって聞いたが、
マルジョレーヌの仲間たち、
あなたたちには適齢期の娘さんがいるって聞いたが、
ゲ、ゲ、ドゥスュ・ル・ゲ！」

4. ［**Chœur**］
― Ceux qui l'ont dit se sont trompés,
Compagnons de la marjolaine,
Ceux qui l'ont dit se sont trompés,
Gai, gai, dessus le guet !

［**合唱**］
「いったひとたちの思い違いだ、
マルジョレーヌの仲間たち、
いったひとたちの思い違いだ、
ゲ、ゲ、ドゥスュ・ル・ゲ！」

［**Chevalier du guet**］

— Et quand est-ce que vous en aurez,
Compagnons de la marjolaine ?
Et quand est-ce que vous en aurez ?
Gai, gai, dessus le guet !

[**国王巡邏隊隊長**]
「じゃ、娘さん、いつならいるの
マルジョレーヌの仲間たち？
じゃ、娘さん、いつならいるの？
ゲ、ゲ、ドゥスュ・ル・ゲ！」

5. [**Chœur**]
— Vers minuit, si vous repassez,
Compagnons de la marjolaine,
Vers minuit, si vous repassez,
Gai, gai, dessus le guet !

[**合唱**]
「真夜中ごろだ、戻ってくるなら、
マルジョレーヌの仲間たち、
真夜中ごろだ、戻ってくるなら、
ゲ、ゲ、ドゥスュ・ル・ゲ！」

[**Chevalier du guet**]
— Il est déjà minuit passé,
Compagnons de la marjolaine !
Il est déjà minuit passé,
Gai, gai, dessus le guet !

[**国王巡邏隊隊長**]

「もう真夜中を過ぎたぞ、
マルジョレーヌの仲間たち！
もう真夜中を過ぎたぞ、
ゲ、ゲ、ドゥスュ・ル・ゲ！」

6. ［**Chœur**］
― Mais nos filles sont couchées,
Compagnons de la marjolaine,
Mais nos filles sont couchées,
Gai, gai, dessus le guet !
［**合唱**］
「しかし、わたしたちの娘たちは寝てしまったよ、
マルジョレーヌの仲間たち、
しかし、わたしたちの娘たちは寝てしまったよ、
ゲ、ゲ、ドゥスュ・ル・ゲ！」

［**Chevalier du gue**t］
― En est-il un'd'éveillée ?
Compagnons de la marjolaine,
En est-il un'd'éveillée ?
Gai, gai, dessus le guet !
［**国王巡邏隊隊長**］
「娘さんのひとりは、目覚めているのでは？
マルジョレーヌの仲間たち、
娘さんのひとりは、目覚めているのでは？
ゲ、ゲ、ドゥスュ・ル・ゲ！」

7. ［**Chœur**］

— Qu'est-ce que vous lui donnerez,
Compagnons de la marjolaine ?
Qu'est-ce que vous lui donnerez ?
Gai, gai, dessus le guet !

［**合唱**］

「隊長さん、娘になにをくれるっていうのさ、
マルジョレーヌの仲間たち？
隊長さん、娘になにをくれるっていうのさ？
ゲ、ゲ、ドゥスュ・ル・ゲ！」

［**Chevalier du guet**］

— De l'or et des bijoux dorés,
Compagnons de la marjolaine,
De l'or et des bijoux dorés,
Gai, gai, dessus le guet !

［**国王巡邏隊隊長**］

「金貨と金色の装身具さ、
マルジョレーヌの仲間たち、
金貨と金色の装身具さ、
ゲ、ゲ、ドゥスュ・ル・ゲ！」

8. ［**Chœur**］

— Mais elle n'est pas intéressée,
Compagnons de la marjolaine,
Elle n'est pas intéressée,
Gai, gai, dessus le guet !

［**合唱**］
「しかし娘はそんなものに興味はないよ、
マルジョレーヌの仲間たち、
娘はそんなものに興味はないよ、
ゲ、ゲ、ドゥスュ・ル・ゲ！」

［**Chevalier du guet**］
－ Alors mon cœur je lui donnerai,
Compagnons de la marjolaine,
Alors mon cœur je lui donnerai,
Gai, gai, dessus le guet !
［**国王巡邏隊隊長**］
「それなら、わたしの心を娘さんにあげよう、
マルジョレーヌの仲間たち、
それじゃ、わたしの心を娘さんにあげよう、
ゲ、ゲ、ドゥスュ・ル・ゲ！」

9. ［**Chœur**］
－ Dans ce cas vous pouvez entrer,
Compagnons de la marjolaine !
Dans ce cas vous pouvez entrer,
Gai, gai, dessus le guet !
［**合唱**］
「それでは、どうぞおはいりください、
マルジョレーヌの仲間たち！
それでは、どうぞおはいりください、
ゲ、ゲ、ドゥスュ・ル・ゲ！」

〔資料⑬〕

多くのヴァージョンが存在するので、マルタン・ペネ版に依拠した。17 世紀の半ばごろの作とされるが、作詞作曲不詳。フランス語のタイトルは、*Le chevalier du guet*（国王巡邏隊隊長）、あるいは *Compagnons de la Marjolaine*（マルジョレーヌの仲間たち）の双方で知られている。

タイトルにもなっている le chevalier du guet の guet は、現在では「監視、見張り」の意だが、マルク・ロビーヌによれば中世以来〔資料⑫〕、――マルティーヌ・ダヴィッドとアンヌ＝マリ・デルリューによれば 6 世紀から〔資料②〕、――危険な夜のパリの街を巡視する「夜警隊」のことをさしていた。

夜警隊には 2 種類あった。ひとつは「民間人の夜警隊」(le guet civil）で、パリの各地区の住民たち、――実際は、職人組合ごと、――で構成され、3 週間に 1 回巡視することが法律で義務づけられていたが、特権はなにもない、実効性の乏しい、頼りないものだった。面白いのは、妻が産褥にある夫は夜警を免除されたという〔資料②〕。夫の産休だ！

それとは別種の「軍人の夜警隊」(le guet militaire）もあり、それがこのシャンソンで歌われている夜警隊のことだ。騎馬兵 20 人と歩兵 40 人の計 60 人からなり、隊長の命令のもとで、乞食、強盗、追剥、人殺しが跋扈（ばっこ）する夜のパリの治安を守るために、馬にのって縦横に走り回っていたという。隊長には、昼夜を問わず、王に謁見（えっけん）を申しでて、王から直接命令を受けることのできる特権が与えられていた。le chevalier du guet の訳語に「国王巡邏隊隊長」があてられているのは、それゆえだ〔小学館ロベール仏和大辞典〕。とすれば、この夜警隊は、後の近衛騎兵隊、さらには現代の憲兵隊の前身に相当するといっていいだろう。

マルティーヌ・ダヴィッドとアンヌ＝マリ・デルリューが、『19世紀ラルース』〔資料⑱〕から引いたと思われる興味深い描写を紹介しておこう〔資料②〕。シャルル9世（Charles IX、在位1560-74）がパリに入場する際のことで、「国王巡邏隊隊長」も縦列行進していたが、その様子はというと……、

> 立派な胴鎧で身を固め、その上から深紅のベルベット製のゆったりしたマントを羽織り、銀の綬（じゅ）を胸の下に垂らし、小姓たちや従僕たちに囲まれていた。

綬（じゅ）（cordon）とは、勲章などをさげるのに用いる紐のことだ。こんな立派な姿を一目見ただけで、若い美しい娘たちは、すっかり心を奪われてしまったことだろう。国王巡邏隊隊長の威風堂々たる姿は、当世流にいうプレイボーイ、いや、あえて下品を承知でいえば「女たらし」（un grand séducteur）の資格充分だった。歌詞の一節を借りれば、「マルジョレーヌの仲間たち」（Compagnons de la marjolaine）のひとり、ということになる。今日でいえば、革命記念日の7月14日（Quatorze juillet）に、シャン＝ゼリゼ大通りを、赤いストライプの入った黒ズボンと金ボタンとベルト付きの上衣を着て、ナポレオン愛用の二角帽（コックドハット）を被り、馬に跨り、軍事パレードの先陣をきって颯爽と行進するエコル・ポリテクニックの学生たちの姿に喩えられるかもしれない。一部の若い女性たちの憧れの的だそうだから。

ところで、マルジョレーヌは、スズランやバラ等とともに、伝

統的に愛の前触れを象徴する香草だ。マルティーヌ・ダヴィッドとアンヌ＝マリ・デルリューは、18世紀の牧歌的な「恋歌」(brunette)の一節を、典拠を示さず引用している〔資料②〕。

— Ma fille veux-tu un bouquet
De marjolaine ou de muguet ?
— Non, non, non, ma mère, non
Ce n'est point là ma maladie.
— Ma fille veux-tu un mari
Qui soit bien fait, qui soit joli ?
— Oui, oui, oui, ma mère, oui
C'est bien là ma maladie.

「娘や、花束は欲しいかい
マルジョレーヌかスズランの？」
「いえ、いえ、いえ、お母さん、欲しくないわ
あたしの病はそんなことじゃないの」
「娘や、夫は欲しいかい
スタイルがよくて、男前だとしたら？」
「ええ、ええ、ええ、お母さん、欲しいわ
あたしの病は、ホント、そこなのよ」

恋の病は、女も男も同じ。いまもむかしも、「顔じゃない、心だよ」は存在しない。正直に認めよう。

*

ところで、このシャンソンができたのが、17世紀半ばということはすでに述べた。当時、「マルジョレーヌの仲間たち」(Compagnons de la marjolaine) といえば、「香水製造（販売）業

者組合」(la confrérie des parfumeurs) のことをさしていた。香草「マルジョレーヌ」の芳香に由来するのだろう。各種組合のなかでも、非常に勢力をもっていた。香水が、最高に趣味のいい優雅な品としておおいに売れていたこともあるが、それだけではない、なんと、死体の防腐処置に絶対必要な軟膏も製造し、大儲けしていたからである。さらに香水は、身体の不潔・悪臭を隠すのにも役立った〔資料⑫〕。当時のひとは、入浴、水浴びの習慣がなかったし……。

勢力ある「香水製造（販売）業者組合」にも、当然、夜警の義務はあった。その義務の履行中に、件の「国王巡邏隊隊長」とでくわすことも、度々あっただろう。その事実を踏まえ、カッコよく馬に乗った「隊長」が、適齢期の娘のいる家を訪ね、どこでも、いつの時代でも起こりうる、将来の婿殿と娘の父親の駆け引きに置き換えたのが、このシャンソンだ。

いやぁ〜、父親の心配などどこ吹く風と、娘のひとりは、ちゃっかり、しっかり眼を醒ましている！

*

ところで、各歌詞末尾に置かれたGai, gai, dessus le guet！の« Gai, gai »だが、ほんらい「さあ、陽気にやろう」といったニュアンスの間投詞・はやし言葉だ。古いシャンソンのルフランで使われ、Gai, gai！ marions-nous！といえば「ねえ、ねえ、結婚しよう」の意味になる〔ロワイヤル仏和中辞典（旺文社）〕。ゆえに、Gai, gai, dessus le guet！をあえて訳せば、「あら楽し、ああ愉快、夜警隊の上で！」となるだろうが、あまり意味をなさない。

『19世紀ラルース』のより詳しい説明によると〔資料⑱〕、この« gai, gai »は« gué, gué »とも表記され、かつての新年を祝う掛け声Au gui l'an neuf！（［古］新年おめでとう！）に由来するという。gui とは、クリスマスや新年にドアに飾る常緑樹「(オウシュウ) ヤドリギ」のことで、新年を迎える際にはこの寄生植物に願をかけたそうだ。そしてこの gui が訛って、gai あるいは gué になり、ルフランに転用されたという。

従って、このシャンソンの Gai, gai, dessus le guet ! になんらかの意味を探るよりも、大きな声で唱和したときの音声「ゲ、ゲ、ドゥスュ・ル・ゲ！」の響きを、そう、「ゲ、ゲ、…ゲ！」の「ゲ」の３連打が生みだす陽気でリズミカルなはやし声を、ルフランとして素直に楽しめばいい。語末の le guet ! (ゲ！) は、タイトル Chevalier du Guet (シュヴァリエ・デュ・ゲ) の「ゲ」とも呼応するし。

一瞬、『ゲゲゲの鬼太郎』の主題歌の一節「ゲ、ゲ、ゲゲゲのゲ」を思いだしたが、唐突ではない。働きも役割も、ほぼ同じ。効果音「ゲ」の醸す可笑しみは、万国共通なのか？

だが、それでも、論理にこだわり、ふと考えこみ、浮かぬ顔をするものもなかにはいるだろう。

多分、その疑問に応えたのだろう、ピエール・ショメイユ版〔資料⑦〕、ジャン＝エデル・ベルティィエ版〔資料⑪〕では、——マルティーヌ・ダヴィッドとアンヌ＝マリ・デルリューの解説〔資料②〕でもそうだが、——dessus le guet ! は、dessus le quai ! (＝［古］sur le quai 河岸で、河岸通りで) と改変されている。

結果、各歌詞末尾は Gai, gai, dessus le quai ! (ゲ、ゲ、ドゥスュ・ル・ケ！) となり、「あら楽し、ああ愉快、河岸通りでは！」と、それらしい意味さえ醸しだす。手持ちのフランスの２種の童謡集でも、YouTube の動画でも、dessus le quai (河岸通りでは) だ。とすれば、現在の子どもたちにとっては、こちらがふつうなのだろう。

どちらでもよいが、「ゲ、ゲ…ゲ」と濁音「ゲ」の３連打は、夜警隊たちがセーヌ河岸を見回る際の力強い馬のだく足を連想させるが、「ゲ、ゲ、…ケ」と最後に清音「ケ」がくると、隊長が娘をもつ父と語りあうため、馬の歩みを止めたその瞬間の情景を思い浮かばせる、といえば主観的にすぎるだろうか。

＊

YouTubeのいくつかの動画を見て驚いた。甲冑を着た兵士が、船から岸に渡した桟橋（le quai）の上を歩いて降りてくるものや、川に渡した桟橋の上を一方の端から他方の端にいる娘のほうに向かって歩み寄っていくものがある。dessus le quaiのquaiに「桟橋」の意味があるからだが、ここは「河岸（かし）」でいいと思う。セーヌ川に沿った道路を、主人公の隊長は馬に乗って巡視している途中とみなすのが、歴史的にも自然だからだ。元歌のGai, gai, dessus le guet！が、Gai, gai, dessus le quai！とうたわれるようになった後付けの解釈かもしれない。

＊

このシャンソンは、ふつうは、ふたつの合唱グループにわかれ、応答形式の歌詞を交互に歌う。また、もっと単純に、２声部で交互に歌う場合もある〔資料⑲〕。

石澤・高岡・竹田共著『フランスの歌いつがれる子ども歌』〔大阪大学出版会〕には、ロンドンのハラップ社（George G. Harrap and Co.）からでている『フランスのわらべ歌』（*Old French Nursery Songs*）に記載の説明が紹介されている。それによれば、この歌はダンスと結びついていて、「女の子たちが手をつなぎ輪になって歌いながら回るなかを、騎士役の子が、自分のセリフを歌いながら、輪のなかのひとりの女の子を選んで服を引っ張り、ふたりで輪から離れて逃げるという遊戯」だそうだ。

そういえば、ある童謡絵本〔資料II-4〕の説明に、この歌のダンスの起源は、例の「香水製造（販売）業者組合」で突然起こった恋愛事件に由来するとあるが、本当だとすれば、遊戯の「ふたりで輪から離れて逃げる」を地でいっていて、興味深い。偶々（たまたま）かもしれないが。

〔資料II-4〕

17. *Coccinelle, demoiselle*
テントウムシお嬢さん

Coccinelle, demoiselle
Bête à Bon Dieu,
Coccinelle, demoiselle
Vole jusqu'aux cieux.
Petit point blanc
Elle attend,
Petit point rouge
Elle bouge,
Petit point noir
Coccinelle au revoir.

テントウムシお嬢さん
神様の虫、
テントウムシお嬢さん
天国まで飛んでお行き。
小さな白い点の
テントウムシが待っているよ、
小さな赤い点の
テントウムシが動いているよ、
小さな黒い点の
テントウムシさん、さようなら。

〔資料⑳、Cf. 資料II－7〕

作詞作曲年代不詳。幼少期にあらゆる所でうたわれる民間伝承のコンティーヌだ。この歌は、幼い子どもたちに、田舎に行けば身近に観察することのできるこの小さな甲虫目の昆虫の翅から、色の知識を最初に学ぶことができるし、その翅の模様（図柄）を識別したりするのに役立つ。

詩行２の「神様の虫」(Bête à Bon Dieu) は、「テントウムシ（コクシネル)」(Coccinelle)、――語源は学術ラテン語 coccinella、――の別称だ。このニックネームの由来を紹介しておこう。

フランス中世のことだ。無実の罪で死刑宣告されたひとが、まさに首をはねられようとしたときに、この虫が飛んできてその首にとまり、死刑執行人がなんど追い払ってもすぐにまた戻ってきて、首切り刀と死刑囚の首のあいだに止まったという。その神々しい介入を見たロベール２世敬虔王（Robert II, le Pieux, 在位 996-1031）は、ただちにその男に恩赦を与えた。本当の殺人犯は、ほどなくして逮捕されたという。テントウムシの公正な判断が立証されたので、以来、「神様の虫」(Bête à Bon Dieu) と呼ばれるようになったという。〔資料⑲〕

そして、「神様の虫」という呼称がついたことから後付けで生まれた伝説だろうが、テントウムシは、幸運と幸福をもたらす虫とされ、天の「神様」のもとにまで飛翔するといわれるようになった。それゆえ、手に取って飛び立たせるときに願い事をすれば、その願い事は神のもとに届けられるという。〔資料⑳〕

しかし、『19 世紀ラルース』〔資料⑱〕は、より現実的な説得力ある説明をしている。

まず注目すべきは、テントウムシの幼虫は、キャベツなどにつくアブラムシを食べる「益虫」であるということ。化学者・物理学者・博物学者にして昆虫学者のレオミュール（René-Antoine

Ferchault de Réaumur,1683-1757）は、テントウムシの幼虫のことを、生態に即して vers mangeurs de pucerons（アブラムシを食べる虫）と呼んでいるほどだ。

次に注目すべきは、テントウムシの姿が半円形であること。もっといえば、球体を真ん中から真っ二つに切断したかのような半球は、おそらくルネサンス期の人びとに、天国を連想させたにちがいない。後述するように、当時、球体こそは完璧な形象、すなわち神が宿る形とみなされていたからだ。

そこに、テントウムシ＝「益虫」の概念が加われば、テントウムシは文字どおり「善き神（Bon Dieu）の虫」、ということになる。〔Cf. 資料⑱ほか〕

テントウムシは、ヨーロッパ・アメリカではもっとも愛されている昆虫で、その証左として、各国で「聖母マリア」を戴く愛称をもっている。『19 世紀ラルース』の coccinelle の項には、bête à Bon Dieu（神様の虫）と並んで、俗称としての bête à la Vierge（聖処女・聖母マリアの虫）が挙がっている〔資料⑱〕が、それ以外に、oiseau de Notre-Dame（聖母マリアの鳥）という表現もある。英語では ladybird（マリア様の鳥）、米語では ladybug（マリア様の昆虫）、ドイツ語では Marienkäfer（マリア様の甲虫）、スペイン語では mariquita（マリア様の小鳥）だ。〔資料⑲〕

歌詞冒頭の一句、――タイトルでもあるが、――「テントウムシお嬢さん」と訳した « coccinelle, demoiselle » は、直訳すれば「テントウムシさん、お嬢さん」と、２語が同格の関係だ。coccinelle が女性名詞ゆえに、女性への呼びかけ demoiselle を使ったのはごく自然な成り行きだろうが、その結果、幸運にも語末部分の音韻（-nelle と -selle）が一致し、「テントウムシ」と「お嬢さん」とは、音の面でも呼応することになった。

*

ルネサンス期の「神」と「球体」の関係について、ジョルジュ・プーレ（Georges Poulet,1902-91）は、『円環の変貌』(*Les métamorphoses du cercle*)〔岡三郎訳、国文社〕序論で、次のように記している。

> 数世紀のあいだ、神学者や哲学者の思想のみならず、詩人の想像力においても重要な役割をはたしてきた、神についての有名な定義がある。すなわちそれは、Deus est sphæra cujus centrum ubique, circumferential nusquam. つまり、神とは中心が至るところにあるが円周はどこにもない一個の球体である、という定義である。

また、ロンサール（Pierre de Ronsard,1524-85）が『恋愛詩集』(*Le Premier Livre des Amours*, 1552）のなかの 40 番目のソネで、女性の乳房の丸みを褒めたたえているが、ここにもルネサンス期の球形にたいする偏愛が見てとれるだろう。この詩は、当時、アントワーヌ・ドゥ・ベルトラン（Anthoine de Bertrand,1540?-81?）によって曲付けされている。原詩の冒頭が、多少改変された版で見てみよう。

> Ha seigneur Dieu, que de Graces écloses
> Dans le jardin de ce sein verdelet
> Enflent le rond de deux gazons de lait,
> Où des Amours les flèches sont encloses !

ああ、主なる神よ、なんと多くの花開いた優雅が
この若い緑の胸の庭のなかで
ふたつのミルクの芝生の丸みを膨らませていることか、
そこには愛神の矢の数々が閉じこめられている！
(Anthoine de Bertrand, *Amours de Ronsard*　所収)

神々しく丸みを帯びた女性の乳房からアモル（キューピッド）の矢が放たれて、詩人のハートを射止めたのである。

＊

こうした考察を経て、再度シャンソン「テントウムシお嬢さん」に戻ると、テントウムシは、本体の半円形のみならず、翅のいくつかの小さな丸い赤や黒の斑点模様もまた、神の定義に通じているように思われる。

ジョルジュ・プーレは先の本で、神は無限大の球体としてイメージされるだけではなく、至るところに偏在する極小の点をも同時に表象する存在であると、くり返し述べている。そこから、テントウムシの「半円形」の体のなかのいくつかの「小さな斑点」が、いわば無限大の球体と偏在する中心点を同時に象徴し、神の象徴に繋がっているとの連想が膨らむ。この歌で、point（点）という単語がくり返されているのも、それをさらに補強してくれている。

〔資料II-7〕

18. *Compère Guilleri*
ギユリの大将

1. Il était un p'tit homme
Qui s'app'lait Guilleri,
Carabi;
Il s'en fut à la chasse,
À la chasse aux perdrix,
Carabi,

大将は小男だった
ギユリと呼ばれていた、
キャラビ、
大将は狩りにでかけた、
ヤマウズラ狩りに、
キャラビ、

[Refrain]
Titi Carabi,
Toto Carabo,
Compère Guilleri,
Te laiss'ras-tu, te laiss'ras-tu,
Te laiss'ras-tu mouri' ?

[ルフラン]
ティティ・キャラビ、
トット・キャラボ、
ギユリの大将、
おまえさん、おまえさん、

おまえさん死ぬ気かよ？

2. Il s'en fut à la chasse,
À la chasse aux perdrix,
Carabi;
Il monta sur un arbre
Pour voir ses chiens couri',
Carabi,
大将は狩りにでかけた、
ヤマウズラ狩りに、
キャラビ、
大将、木にのぼったぜ
犬たちが走っているのを見るためさ、
キャラビ、

3. Il monta sur un arbre,
Pour voir ses chiens couri',
Carabi;
La branche vint à rompre,
Et Guilleri tombi',
Carabi,
大将、木にのぼったぜ、
犬たちが走っているのを見るためさ、
キャラビ、
枝が折れちまって、
ギユリの奴、落っこちたぜ、
キャラビ、

4. La branche vint à rompre,
Et Guilleri tombi',
Carabi;
Il se cassa la jambe,
Et le bras se démi',
Carabi,
枝が折れちまって、
ギユリの奴、落っこちたぜ、
キャラビ、
大将、脚が折れて、
腕が脱臼しちまった、
キャラビ、

5. Il se cassa la jambe,
Et le bras se démi',
Carabi;
Les dam's de l'*Hôpital,*
Sont arrivé's au brui',
Carabi,
大将、脚が折れて、
腕が脱臼しちまった、
キャラビ、
施療院の修道女たちが、
物音を聞きつけてやってきた、
キャラビ、

6. Les dam's de l'*Hôpital,*
Sont arrivé's au brui',
Carabi;
L'une apporte un emplâtre,
L'autre, de la charpi',
Carabi,

施療院の修道女たちが、
物音を聞きつけてやってきた、
キャラビ、
修道女の１人は軟膏を持参、
もう１人は包帯を、
キャラビ、

7. L'une apporte un emplâtre,
L'autre, de la charpi',
Carabi;
La plus vieille le gronde,
La jeune lui sourit,
Carabi,

修道女の１人は軟膏を持参、
もう１人は包帯を、
キャラビ、
年配の修道女はギユリを叱るが、
若い修道女はギユリに微笑む、
キャラビ、

8. La plus vieille le gronde,

La jeune lui sourit,
Carabi;
On lui banda la jambe,
Et le bras lui remi',
Carabi,

年配の修道女はギユリを叱るが、
若い修道女はギユリに微笑む、
キャラビ、
脚に包帯が巻かれ、
はずれた腕がはめられた、
キャラビ、

9. On lui banda la jambe,
Et le bras lui remi',
Carabi;
Pour remercier ces dames,
Guill'ri les embrassi',
Carabi,

脚に包帯が巻かれ、
はずれた腕がはめられた、
キャラビ、
この修道女たちに礼をいうため、
ギユリはチュッとキスをした、
キャラビ、

10. Pour remercier ces dames,
Guill'ri les embrassi',

Carabi;
Ça prouv' que par les femmes
L'homme est toujours guéri,
Carabi,

この修道女たちに礼をいうため、
ギユリはチュッとキスをした、
キャラビ、
これが証拠さ、女性たちに
男というものは、いつも治癒されるっていうことの、
キャラビ、

〔資料⑬、資料⑦〕

歌詞は、17世紀から18世紀にかけてできあがったと思われる〔資料③〕。主人公のギユリの職業は、歌詞1番で「大将は狩りにでかけた／ヤマウズラ狩りに」とあるから、猟師だろう。Compère Guilleri の Compère（コンペール）は親しい男どうしの呼称で、「ギユリの大将」とでも訳せばいいだろうか……。ジャン＝クロード・クランによれば、「スズメの楽しそうな囀り」を、フランス語で「ギユリ」（guilleri［gijri］）というそうだから、声にだして呼んだとき、陽気で明るく聞こえる名前を主人公に与えたということだ〔資料③〕。

フランス人は一般に背は低い。ギユリ氏を「小男」とわざわざ断っているから、平均以下ということだろう。走っている犬を見るために木に登る元気のよい男だ。ただ、枝が折れて落下、脚を折り腕は脱臼と、なんともドジで粗忽（そこつ）者だが、施療院から駆けつけた修道女たちはいそいそと介護。その返礼が「チュッとキス」だから、卑猥とまではいかなくても、なかなかきわどいことをす

る。それを許す修道女たちも嫌がらなかったようだから、男女の機微を弁えて、なかなかのもの。外野席のスズメたちの囃す囀りが聞こえてきそうな気がする、ギユリ・ギユリ・ギユリ……と。

この guilleri（スズメの囀り）という単語は、古フランス語の動詞 guiller（だます、引きつける）に由来し、この動詞から派生した guilleret / guillerette（元気のよい、陽気な、少々卑猥な、きわどい）という形容詞は、現在でも生きている〔小学館ロベール仏和大辞典〕。

第 1 帝政期（1804-14/15）に、この歌をもじり、ナポレオン諷刺の替え歌、――Il était un petit homme / Qu'on appelait le Grand / En partant（奴は小男だ／ひとは偉大な男（大男）と呼んでいたが／出陣のさいには)、――が作られたそうだ。ギユリにフロックコートを着せ、ナポレオン風の二角帽を被らせたというわけだ〔資料③〕。

実際、ナポレオンは、歴史の大立者（le Grand）だったが、背は低かった。それでも、女性にはもてた。人間的魅力からか、それとも強大な権力のおかげか？　揶揄っているとしても、節が明るく軽やかなだけに、パロディ化された歌詞は、かえって皮肉の度を増して聞こえただろう。ナポレオンは、その歌を禁止した。

歌の起源をたどれば、五里霧中、闇のなかだ。16 世紀の宗教戦争の頃、アンリ 4 世治下で忠実に戦ったフィリップ・ギユリがモデル、というのがひとつの説。だが「戦争の終結＝平和の訪れ」は軍人を不要とする。ギユリは、ふたりの兄弟を含む大勢と徒党を組み、16 世紀末から 17 世紀初めにかけて、ポワトゥ地方の村や城を襲い、残虐な強奪・掠奪を繰り返した。元の主君アンリ 4 世により討たれたのは、1608 年。このギユリの残虐さは、歌の主人公ギユリのとぼけた味わいとは、まったくイメージが合わない。他の諸説同様、この歌とは無関係で後世のこじつけだろう。歌中のギユリにしても、ナポレオンになぞらえられたことを、──たとえ、一時期を画した英雄であろうとも、──光栄に思うとは、とても思えない。

＊

なお、歌詞のフランス語〈mouri', couri'〉は、それぞれ〈mourir, courir〉のこと。従って、ルフラン部の Te laiss'ras-tu mouri' は、きっちり書けば Te laisseras-tu mourir だ。〈tombi', embrassi'〉→〈tombit, embrassit〉も、本来は〈tomba, embrassa〉だが、主人公の名前 Guilleri に含まれる母音［i］と韻を踏ますために、綴りに工夫を凝らしたもので、結果、母音［i］が詩句末で繰り返されることになり、陽気な雰囲気を醸しだしている。なにせフランス語の母音［i］は口を強く横に引き裂き、日本人が相手を馬鹿にして「いーだ！」というときと同じ口の構えで発音される、明るく鋭い響きをもった母音だ。歌の作者が、文法を無視し、故意に［i］と書き換え、韻を踏ませた理由がそれならわかる。

＊

さらに、ルフランで繰り返される Titi Carabi（ティティ・キャラビ）や Toto Carabo（トット・キャラボ）は、いってみれば、語調を整え、調子を弾ませるためのもので、日本なら、さしずめ「さのよいよい」のような囃子声にあたるだろう。とにかく、ルフランで「ティティ・キャラビ・トット・キャラボ……」と、快活に響くことが、この歌の成功に単純に貢献している。ちなみに titi とは、生意気なパリの若僧を指す俗語で、petit の第２音節を重複させたもの、toto は古風な言い方で「子ども」のことだ。

＊

このような囃子声のいくつか類例をあげれば、シャンソン *Il était une bergère*（ひとりの羊飼い娘がいました）の Et ron et ron, petit patapon（エ・ロン・エ・ロン、プティ・パタポン）や ron ron（ロン・ロン）、シャンソン *Trois jeunes tambours*（３人の若い鼓手）の Et ri et ran, ranpataplan（エ・リ・エ・ラン、ランパタプラン）、シャンソン *Aux marches du palais*（宮殿の階段に）の lon, la（ロン・ラ）、シャンソン *Sur la route de Dijon*（ディジョンへの途上で）の la belle digue dig' la belle digue don（ラ・ベル・ディグ・ディグ・ラ・ベル・ディグ・ドン）など、ほかにもたくさんある。こうした合いの手表現は、実際に声にだしてうたったとき、リズミカルで浮き立つような気分に誘ってくれる。が、ほぼ意味はない。

いや、ほんとうに意味はない？　じつは、フランス人は小犬のことをときに carabi（キャラビ）と呼ぶそうだし、なんと carabo（キャラボ）はスペイン語で猟犬の一種をさすといえば、どうだろう。いわば、猟師（chasseur）の縁語だから、驚きだ〔資料②〕。

〔資料Ⅱ-2〕

19. *Dans les prisons de Nantes (La fille du geôlier)*
ナントの牢獄に（牢番の娘）

1. Dans les prisons de Nantes,
   Eh' youp la la la ri tra la la,
   Dans les prisons de Nantes,
   Il y a un prisonnier. (*ter*)

   ナントの牢獄に、
   エ・ユップ・ラ・ラ・ラ・リ・トゥラ・ラ・ラ、
   ナントの牢獄に、
   囚人がひとり。(*ter*)

2. Que personne ne va voir
   Eh' youp la la la ri tra la la,
   Que personne ne va voir
   Que la fille du geôlier. (*ter*)

   その囚人にだれも会いに行かない
   エ・ユップ・ラ・ラ・ラ・リ・トゥラ・ラ・ラ、
   その囚人にだれも会いに行かない
   牢番の娘以外には。(*ter*)

3. Elle lui porte à boire,
   Eh' youp la la la ri tra la la,
   Elle lui porte à boire,
   À boire et à manger. (*ter*)

   娘は囚人に飲み物をもっていく、
   エ・ユップ・ラ・ラ・ラ・リ・トゥラ・ラ・ラ、

娘は囚人に飲み物をもっていく、
飲み物と食べ物を。(*ter*)

4. Et des chemises blanches,
Eh' youp la la la ri tra la la,
Et des chemises blanches,
Quand il veut en changer. (*ter*)
そして幾枚かの清潔な白いシャツも、
エ・ユップ・ラ・ラ・ラ・リ・トゥラ・ラ・ラ、
そして幾枚かの清潔な白いシャツも、
囚人が着替えを望むときには。(*ter*)

5. Un jour il lui demande:
Eh' youp la la la ri tra la la,
Un jour il lui demande:
—De moi oy'ous parler ? (*ter*)
ある日、囚人が娘に尋ねる、
エ・ユップ・ラ・ラ・ラ・リ・トゥラ・ラ・ラ、
ある日、囚人が娘に尋ねる、
ぼくの噂を聞いていますか？ (*ter*)

6. —Le bruit court par la ville,
Eh' youp la la la ri tra la la,
—Le bruit court par la ville,
Que demain vous mourrez. (*ter*)
噂は町じゅうに流れています、
エ・ユップ・ラ・ラ・ラ・リ・トゥラ・ラ・ラ、

噂は町じゅうに流れています、

明日、あなたは死ぬだろうって。(*ter*)

7. —Puisqu'il faut que je meure,

Eh' youp la la la ri tra la la,

—Puisqu'il faut que je meure,

Déliez-moi les pieds. (*ter*)

死ななければならないのだから、

エ・ユップ・ラ・ラ・ラ・リ・トゥラ・ラ・ラ、

死ななければならないのだから、

足（の鎖）をほどいてください。(*ter*)

8. La fille était jeunette,

Eh' youp la la la ri tra la la,

La fille était jeunette,

Les pieds lui a lâchés. (*ter*)

娘はまだ若かった、

エ・ユップ・ラ・ラ・ラ・リ・トゥラ・ラ・ラ、

娘はまだ若かった、

囚人の足（の鎖）を解いてやった。(*ter*)

9. Le galant fort alerte,

Eh' youp la la la ri tra la la,

Le galant fort alerte,

Dans la mer a sauté. (*ter*)

この色男はとても敏捷で、

エ・ユップ・ラ・ラ・ラ・リ・トゥラ・ラ・ラ、

この色男はとても敏捷で、
海のなかに飛びこんだ。(*ter*)

10. Quand il fut sur la grève,
Eh' youp la la la ri tra la la,
Quand il fut sur la grève,
Il se mit à chanter: (*ter*)
囚人は砂浜に着いたとき、
エ・ユップ・ラ・ラ・ラ・リ・トゥラ・ラ・ラ、
囚人は砂浜に着いたとき、
うたい始めた。(*ter*)

11. —Dieu bénisse les filles,
Eh' youp la la la ri tra la la,
—Dieu bénisse les filles,
Surtout celle du geôlier. (*ter*)
神よ、娘たちを祝福されよ、
エ・ユップ・ラ・ラ・ラ・リ・トゥラ・ラ・ラ、
神よ、娘たちを祝福されよ、
とりわけあの牢番の娘を。(*ter*)

12. Si je reviens à Nantes,
Eh' youp la la la ri tra la la,
Si je reviens à Nantes,
Oui, je l'épouserai ! (*ter*)
ぼくがナントに戻ったら、
エ・ユップ・ラ・ラ・ラ・リ・トゥラ・ラ・ラ、

ぼくがナントに戻ったら、
きっと、あの娘と結婚するぞ！ (*ter*)

〔資料⑦〕

17世紀末の作品〔資料⑳〕。作詞作曲不詳。ナントは、ブルターニュ半島南東部に位置し、ペイ・ドゥ・ラ・ロワール地域圏の首府で、ロワール＝アトランティック県の県庁所在地でもある。

ストーリーは単純明快、牢番の娘とナントの牢獄にいる若い囚人との恋物語だ。囚人に恋した娘は脱獄に手を貸す。若者は牢獄の窓から海に飛び込み、無事に砂浜に泳ぎ着く。ナントに戻ったら、娘と結婚しようと誓う。

なんという幸運な囚人！　一連のいわゆる「救われた囚人」（prisonnier sauvé）もので、ヴァージョンによっては、小姓に扮(ふん)した娘と囚人が服を交換し、娘が入れ替わって牢にはいり、囚人は脱走、判事によって死刑判決が下されるも、間違いだと判明、仕組んだ策略も許されて、「……おまえを絞首刑にはできない／家に帰るがよい」となり、結果、逃げた囚人も娘も双方ともに助かったというドラマティックな筋立てもある〔資料②〕。

それにしても、この囚人にモデルはいるのだろうか？　ナントの牢獄が国事犯刑務所（prison d’État）だったところから、ルイ14世に汚職のかどで逮捕され、有罪判決を受けた財務卿ニコラ・フーケ（Nicolas Fouquet, 1615-80）のことだとの説もあるが、その確証はない。

そのフーケだが、自分の地所に大金を投じ、見事な庭園と豪華な装飾を施したヴォ＝ル＝ヴィコント城（Château de Vaux-le-

Vicomte）を建造したが、設計は後にヴェルサイユ宮殿の庭を手がけることになる名造園家ル・ノートル（Le Nôtre, 1613-1700）である。フーケは、1661年８月、この城に王を招いて、王を圧するばかりの絢爛（けんらん）豪華な祝宴を催した。そのためフーケは、王の嫉妬を買う羽目になったが、それに気づかず、３週間後、意気揚々とルイ14世に随行したナントの地で、マスケット銃士隊長ダルタニャンの手で逮捕された。1661年９月５日のことだ。フーケの庇護を受けていた『寓話』*Fables* の作者ラ・フォンテーヌ（La Fontaine, 1621-95）が、フーケのために王に寛大な赦（ゆる）しを乞うたが、功を奏さなかった。そして、３年間の裁判の末、1665年初頭に送られたのは、ピネローロ（現在のイタリア共和国ピエモンテ州トリノ県）の要塞で、ナントの牢獄ではない。1680年３月23日に獄中で死去した。シャンソンとは真逆の悲惨な結末だ！

なお、マスケット（musket）は英語で、フランス語ではムスケ（mousquet）といい、16～17世紀に使用された大口径の重い歩兵銃の呼称だ。アレクサンドル・デュマ（Alexandre Dumas,1802-70）の小説『三銃士』（*Les Trois Mousquetaires*）のことを思い浮かべるひともいるだろう。

ところで、歌詞１番 Dans les prisons de Nantes（ナントの牢獄に）だが、なぜ牢獄が複数形になっているのだろう。死刑囚の若者が収監されているのは、ロワール川沿いの１つの牢獄のはずだ。これは、詩における強意の複数形と呼ばれるもので、ほんらい単数形であるものを複数形で表現し、より大きな広がりと存在感をもたせようとするものだ。たとえば、lune（月）や soleil（太陽）を複数形にする場合がそうだ。

この歌でも、牢獄が複数形に置かれたことで、若者が閉じこめられた牢獄は実際以上に広く大きく重みを増し、死刑執行を恐れ悶々（もんもん）とする１人の囚人の孤独が、劇的に強調されることになった。

歌詞５番の De moi oy'ous parler ?（ぼくの噂を聞いていますか？）が De moi a-t-on parlé ?（だれかからぼくの噂を聞きましたか？）と、歌詞９番 Dans la mer a sauté（海のなかに飛びこんだ）が Dans la Loire a sauté（ロワール川に飛びこんだ）と、うたわれることもある。ナントの牢獄が舞台だけに、後者のほうが相応しい気がする。なお、oy'ous は、oyez-vous の省略形、動詞 oyez の原型は ouïr（聞く＝entendre）だ。

この歌の発祥はバス・ブルターニュ（低地ブルターニュ）で、そこから西フランス一帯に広がり、次第にサントル＝ヴァル＝ドゥ・ロワール地域圏（中心都市オルレアン）の一部に、そしてロレーヌ地域圏にまで及んだ。その過程で、ナントはいろいろな都市に置き換えられた。レンヌ（ブルターニュ地域圏の首府、イル＝エ＝ヴィレーヌ県の県庁所在地）に、アヴランシュ（ノルマンディー地域圏マンシュ県の都市）に、マルマンド（フランス南西部ヌーヴェル＝アキテーヌ地域圏ロット＝エ＝ガロンヌ県のコミューヌ）に、さらにはロンドンに、というぐあいに。ついには、カナダにまで伝わり、非常にポピュラーな曲として知られるようになったという。〔資料③〕

この歌には、異なった２つの旋律が存在する。ダンス曲として採譜されたものは、単調で沈んだ曲想だが、しかし好んでうたわれるのは、もうひとつの心を惹きつける魅惑的な旋律のほうで、各歌詞の第２連が、シャンソン「マルブルーは戦争に行ってしまう」*Malbrough s'en va-t-en guerre* の有名な科白「いつ戻ってくるかわからないが、いつ戻ってくるかわからないが」(Ne sait quand reviendra, ne sait quand reviendra）と同じ節で２度くり返しうたわれる〔資料②〕。

合いの手の Eh' youp la la la も、Tradéri idéri とか Digue don ma dondaine とうたわれる場合もあるようだ〔資料③〕。

この歌の人気は高い。アリスティッド・ブリュアン、エディット・ピアフ、レ・コンパニョン・ドゥ・ラ・シャンソン、ナナ・ムスクリ、コレット・ルナール、ドロテなどが好んで取り上げたほか、ナント生まれのブルトン人グループ「トゥリ・ヤン」(le groupe nantais Tri Yann)、ブルトン人の男性歌手クロード・ベッソン（Claude Besson）や女性歌手ノルウェン・ルロワ（Nolwenn Leroy）などが、十八番にしている。日本でも第２次世界大戦前、イヴォンヌ・ジョルジュ（Yvonne George,1896-1930）のレコードで、「ナントの鐘」(*Les Cloches de Nantes*）というタイトルで紹介されている。

〔資料 II -3〕

20. *Derrière chez moi*

家の裏手に

1. Derrière chez moi devinez ce qu’il y a ?　(*bis*)

L’y a un arbre, le plus bel arbre,

Arbre du bois,

Petit bois derrièr’ chez moi.

わたしの家の裏手に、なにがあるか当ててごらん？　(*bis*)

１本の木があるのよ、もっとも美しい木が、

森の木、

家の裏手の小さな森。

[Refrain]

Et la lon là lon lère et la lon là lon là　(*bis*)

［ルフラン］

エ・ラ・ロン・ラ・ロン・レール・エ・ラ・ロン・ラ・ロン・ラ　(*bis*)

2. Et sur cet arbre devinez ce qu’il y a ?　(*bis*)

Y’a un’ branche, la plus belle branche,

Branche sur l’arbre,

Arbre du bois,

Petit bois derrière chez moi.

そしてこの木に、なにがあるか当ててごらん？　(*bis*)

１本の枝があるのよ、もっとも美しい枝が、

木に枝、

森の木、

家の裏手の小さな森。

＊実用・ビジネス

経営という冒険を楽しもう 1〜4巻
仲村恵子

中小企業経営者が主人公の大人気のシリーズ。経営者たちは苦悩と葛藤を、仲間たちと乗り越えてゆく。各1500円

国旗と世界のストーリー
米村典紘

世界各国の国旗とその由来、その国の基本情報などを掲載。歴史や文化についてのコラムや各大陸別の国旗の傾向なども。1980円

Pythonで学ぶ回路シミュレーションとモデリング
盛 健次　松澤 昭

Pythonを学ぶ人々へ向けて書かれたテキスト。学生および企業／法人の学習に最適なオールカラー588頁。6160円

MATLABで学ぶ回路シミュレーションとモデリング
盛 健次　松澤 昭

MATLAB/SIMULINKを学ぶ人々へ向けて書かれたテキスト。学生および企業／法人の学習に最適なオールカラー546頁。6160円

コロナ後の京都観光文化力ガイド

コロナ後の京都の文化力を紐解く必読本！本書の出会いは京都通の始まり！京都の中の京都がここにある！1980円

誰でもわかる 和音のしくみ
末松 登 編著／橘 知子 監修

自ら音楽を楽しむ人々、音楽を学ぶ人々のため、和音の成り立ちと進行を誰にでもわかるよう解説する。1600円

自律神経を整える食事 胃腸にやさしいディフェンシブフード（2刷出来）
松原秀樹

40年悩まされたアレルギーが治った！重度の冷え・だるさも消失した！ディフェンシブフードとは？ 1650円

アラビア語文法 コーランを読むために
田中博一

欧米式アラビア語学習法を取りながら、アラブ人の学ぶ文法学の解説も取り入れた画期的文法書。4620円

心に触れるホームページをつくる　秋山典丈
従来のHP作成・SEO本とは一線を画しコンテンツの書き方に焦点を当てる。1760円

開運虎の巻 街頭易者の独り言　天童春樹
三十余年六万人の鑑定実績。あなたと身内の運命と開運法をお話しします　1650円

成果主義人事制度をつくる　松本順市
30日でつくれる人事制度だから、業績向上が実現できる。（第11刷出来）1760円

腹話術入門（第4刷出来）　花丘奈果
発声方法、台本づくり、手軽な人形作りまで一人で楽しく習得。台本も満載。1980円

南京玉すだれ入門（2刷）花丘奈果
いつでも、どこでも、誰にでも、見て楽しく演じて楽しい元祖・大道芸を解説。1760円

初心者のための蒸気タービン　山岡勝己
原理から応用、保守点検、今後へのヒントなどベテランにも役立つ。技術者必携。3080円

現代アラビア語辞典アラビア語日本語
田中博一／スバイハット レイス 監修
千頁を超える本邦初の本格的辞典。11000円

現代日本語アラビア語辞典
田中博一／スバイハット レイス 監修
見出語約1万語、例文1万2千収録。8800円

ジョージ・セル音楽の生涯
マイケル・チャーリー 著／伊藤氏貴 訳
（週刊読書人で紹介）
大指揮者ジョージ・セルの生涯。膨大な一次資料と関係者の生証言に基づく破格の評伝。音楽評論家・板倉重雄氏推薦。　4180円

塹壕の四週間
あるヴァイオリニストの従軍記
フリッツ・クライスラー著　伊藤氏貴訳
伝説のヴァイオリニストによる名著復活！　偉大な人格と情緒豊かな音楽に結びついた極限の従軍体験を読み解く。　1650円

オットー・クレンペラー　中島 仁
最晩年の芸術と魂の解放
—1967〜69年の音楽活動の検証を通じて—
20世紀の大指揮者クレンペラーの最晩年の姿を通して人間における音楽のもつ意味を浮かびあがらせる好著。　2365円

フランスの子どもの歌I・II
50選 —読む楽しみ—
三木原浩史・吉田正明（IIより共著）
フランスに何百曲あるかわからない子どもの歌から50曲を収録。うたう・聴く楽しみとは、ひと味違う読んで楽しむ一冊。　各2200円

モリエール傑作戯曲選集 1〜4
柴田耕太郎訳
現代の読者に分かりやすく、また上演用の台本としても考え抜かれた、画期的新訳の完成。　各3080円

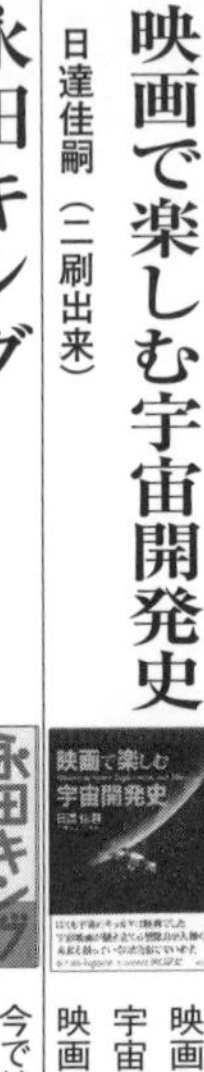

映画で楽しむ宇宙開発史
日達佳嗣（二刷出来）
映画から読み解く人類の宇宙への挑戦！　宇宙好き×映画好きが必ず楽しめる宇宙の映画を集めた一冊。　1980円

永田キング
澤田隆治（朝日新聞ほかで紹介）
今では誰も知らない幻の芸人の人物像に、放送界の名プロデューサーが長年の資料収集と関係者への取材を元に迫る。　3080円

雪が降るまえに
A・タルコフスキー／坂庭淳史訳（二刷出来）
詩人アルセニーの言葉の延長線上に拡がっていた世界こそ、息子アンドレイの映像作品の原風景そのものだった。　2090円

宮崎駿の時代 1941〜2008　久美 薫
宮崎アニメの物語構造と主題分析、マンガ史からアニメ技術史まで宮崎駿論一千枚。　1760円

ヴィスコンティ　若菜 薫
「郵便配達は二度ベルを鳴らす」から「イノセント」まで巨匠の映像美学に迫る。　2420円

ヴィスコンティII　若菜 薫
高貴なる錯乱のイマージュ。「ベリッシマ」「白夜」「前金」「熊座の淡き星影」　2420円

アンゲロプロスの瞳　若菜 薫
『旅芸人の記録』の巨匠への壮麗なるオマージュ。（二刷出来）　3080円

ジャン・ルノワールの誘惑　若菜 薫
多彩多様な映像表現とその官能的で豊饒な映像世界を踏破する。　2420円

聖タルコフスキー　若菜 薫
「映像の詩人」アンドレイ・タルコフスキー。その全容に迫る。　2200円

銀座並木座 日本映画とともに歩んだ四十五歩
嵩元友子　ようこそ並木座へ、ちいさな映画館をめぐるとっておきの物語　1980円

つげ義春を読め　清水 正
つげマンガ完全読本！　五〇編の謎をコマごとに解き明かす鮮烈批評。　5170円

＊ドイツ語圏関係他

詩に映るゲーテの生涯〈改訂増補版〉
柴田 翔

小説を書きつつ、半世紀を越えてゲーテを読みつづけてきた著者が描く、彼の詩の魅惑と謎。その生涯の豊かさ。 1650円

ペーター・フーヘルの世界―その人生と作品
斉藤寿雄（週刊読書人で紹介）

旧東ドイツの代表的詩人の困難に満ちたその生涯を紹介し、作品解釈をつけ、主要な詩の翻訳をまとめた画期的書。 3080円

ヘーゲルのイエナ時代 完結編―『精神の現象学』の誕生―
松村健吾

『精神の現象学』の誕生を、初版に見られる8ヶ所の無意味な一行の空白を手がかりに読み解く。 6600円

リヒテンベルクの手帖
ゲオルク・クリストフ・リヒテンベルク著
吉用宣二訳

18世紀最大の「知の巨人」が残した記録、本邦初となる全訳完全版。Ⅰ・Ⅱ巻と索引の三分冊。 各8580円

光と影
ハイデガーが君の生と死を照らす！
村瀬 亨

河合塾の人気講師によるハイデガー『存在と時間』論を軸とした、生と死について考えるための哲学入門書。 1650円

ニーベルンゲンの哀歌
岡崎忠弘 訳（図書新聞で紹介）

『ニーベルンゲンの歌』の激越な特異性とその社会的位置を照射する続篇『哀歌』。待望の本邦初訳。 3080円

二〇一八改訂 黄金の星（ツァラトゥストラ）はこう語った
ニーチェ／小山修一 訳

詩人ニーチェの真意、健やかな喜びを伝える画期的全訳。ニーチェの真意に最も近い渾身の全訳。 3080円

ヘルダリーン―ある小説
ペーター・ヘルトリング著／富田佐保子訳

フランス革命は彼とその仲間たちをどう衝き動かしたのか？ この魅力的な詩人の人生を描く。 2860円

ゲーテ『悲劇ファウスト』を読みなおす 新妻 篤
ゲーテが約六〇年をかけて完成。著者が明かすファウスト論。 3080円

ギュンター・グラスの世界 依岡隆児
つねに実験的方法に挑み、政治と社会から関心を失わなかったノーベル賞作家を正面から論ずる。 3080円

グリムにおける魔女とユダヤ人 奈倉洋子
グリムのメルヒェン集と ―メルヒェン・伝説・神話―
伝説集を中心にその変化の実態と意味を探る。 1650円

フリードリヒ・シラー美学＝倫理学用語辞典 序説
ヴェルンリ／馬上 徳 訳 難解なシラーの基本的用語を網羅し体系化をはかり明快な解釈をほどこし全思想を概観。 2640円

新ロビンソン物語 カンペ／田尻三千夫 訳
18世紀後半、教育の世紀に生まれた「ロビンソン・クルーソー」を上回るベストセラー。 2640円

東方ユダヤ人の歴史 ハウマン／平田達治・荒島浩雅 訳
その実態と成立の歴史的背景をこれほど見事に解き明かしている本はこれまでになかった。 2860円

ポーランド旅行 デーブリーン／岸本雅之 訳
長年にわたる他国の支配を脱し、独立国家の夢を果たしたポーランドのありのままの姿を探る。 2640円

東ドイツ文学小史 W・エメリヒ／津村正樹 監訳
神話化から歴史へ。一つの国家の終焉はその文学の終りを意味しない。 7590円

出来事（2刷）

吉村萬壱（朝日新聞・時事通信ほかで紹介）

季刊文科62～77号連載「転落」の単行本化
芥川賞作家・吉村萬壱が放つ、不穏なるホンモノとニセモノの世界。 1870円

地蔵千年、花百年（3刷）

柴田翔（読売新聞・サンデー毎日で紹介）

芥川賞受賞『されど われらが日々―』から約半世紀。約30年ぶりの新作長編小説。
戦後からの時空と永遠を描く。 1980円

空白の絵本 ―語り部の少年たち―

司修（東京新聞、週刊新潮ほかで紹介）

広島への原爆投下による孤児、そして「幽霊戸籍」。NHKドラマとして放映された作品を小説として新たに描く。 1870円

結交姉妹

村上政彦（毎日新聞で紹介）

季刊文科連載作が待望の単行本化。女性たちだけの秘密の世界、女書文字をめぐる物語。 1760円

夏目漱石は子役チャップリンと出会ったか？

漱石についての論文・随筆40編を収録！ 選りすぐりの伝記、考証を収める。

原武哲（西日本新聞、熊本日日新聞で紹介）

漱石研究蹣跚 3080円

そして、ニューヨーク【私が愛した文学の街】

鈴木ふさ子（産経新聞で紹介）（2刷）

この街を愛した者たちだけに与えられる特権それは〝魅力の秘密〟を語ること。文学、映画ほか、その魅力を語る。 2090円

創作入門―小説は誰でも書ける

小説を驚くほどよくする方法　奥野忠昭

長年の創作経験と指導経験に基づくその創作理論を、実例を示すことで実践的でかつ分かりやすく提示。ベテランにもお勧め。 1980円

評伝 小川国夫 ―至近距離から

山本恵一郎

小川国夫との五十年に及ぶ親交を「カミソリの刃のうえを歩くようなこと」と記す著者しか書き得ない、小川文学の根幹に迫る評伝。 1980円

「へうげもの」で話題の〝古田織部三部作〟

久野治（NHK、BS11など歴史番組に出演）

新訂 古田織部の世界 3080円

千利休から古田織部へ 2420円

改訂 古田織部とその周辺 3080円

中上健次論〈全三巻〉　河中郁男

初期作品から晩年の未完作に至るまで、計一八〇〇頁超の壮大な論集。 各3520円

エロイ、エロイ、ラマ、サバクタニ

大鐘稔彦　信じていた神に裏切られた男は、プリマドンナを追い求めてさ迷う。 1540円

芸術に関する幻想　W・H・ヴァッケンローダー

毛利真実 訳　デューラーに対する敬虔、ラファエロ、ミケランジェロ、そして音楽。 1650円

＊歴史

善光寺と諏訪大社
神仏習合の時空間
長尾 晃

一五〇年ぶりの同年開催となった善光寺「御開帳」と諏訪大社「御柱祭」。知られざる関係と神秘の歴史に迫る。　1760円

小説木戸孝允 上・下
―愛と憂国の生涯―
中尾實信（2刷）

西郷、大久保が躊躇した文明開化と封建制打破を成就し、四民平等の近代国家を目指した木戸孝允の生涯を描く大作。　3850円

太郎と弥九郎
飯沼青山

江川太郎左衛門と斎藤弥九郎、激動の時代を切り開いたふたりの奮闘を描く、迫真の歴史小説！　2200円

五島列島沖合に海没処分された潜水艦24艦の全貌
浦 環（二刷出来）

日本船舶海洋工学会賞受賞。実物から受けるオーラは、記念碑から受けるオーラとは違う。実物を見よう！　3080円

幕末の大砲、海を渡る
―長州砲探訪記―
郡司 健（日経新聞で紹介）

連合艦隊に接収され世界各地に散らばった長州砲を追い求め、世界を探訪。二〇年にわたる研究の成果とは。　2420円

魚食から文化を知る
―ユダヤ教、キリスト教、イスラム文化と日本
平川敬治（読売新聞ほかで紹介）

日本人に馴染み深い魚食から世界を知ろう！魚と、人の宗教・文化形成との関係という全く新しい観点から世界を考察する。　1980円

天皇の秘宝
―さまよえる三種神器・神璽の秘密―
深田浩市

二千年の時を超えて初めて明かされる「三種神器の勾玉」衝撃の事実！　日本国家の祖、真の皇祖の姿とは!!　1650円

西行 わが心の行方
松本 徹（二刷出来）（毎日新聞で紹介）

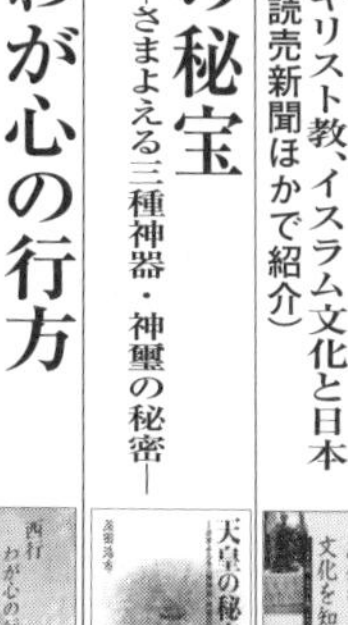

季刊文科で「物語のトポス西行随歩」として十五回にわたり連載された西行ゆかりの地を巡り論じた評論的随筆作品。　1760円

浦賀与力中島三郎助伝
木村紀八郎

幕末という岐路に先見と至誠をもって生き抜いた最後の武士の初の本格評伝。　2420円

軍艦奉行木村摂津守伝
木村紀八郎

若くして名利を求めず隠居、福沢諭吉が終生敬愛したというサムライの生涯。　2420円

南の悪魔フェリッペ二世
伊東 章

スペインの世紀といわれる百年が世界のすべてを変えた。黄金世紀の虚実1　2090円

フランク人の事蹟 第一回十字軍年代記
丑田弘忍訳

第一次十字軍に実際に参加した三人の年代記作家による異なる視点の記録。　3080円

大村益次郎伝
木村紀八郎

長州征討、戊辰戦争で長州軍を率いて幕府軍を撃破した天才軍略家の生涯を描く。　2420円

新版 日蓮の思想と生涯
須田晴夫

日蓮が生きた時代状況と、思想の展開を総合的に考察。日蓮仏法の案内書！　3850円

天皇家の卑弥呼
（三刷）深田浩市

倭国大乱は皇位継承戦争だった!!　文献や科学調査から卑弥呼擁立の理由が明らかに。　1650円

古事記新解釈 南九州方言で読み解く神代
飯野武夫／飯野布志夫 編

『古事記』上巻は南九州の方言で読み解ける。　5280円

新訳金瓶梅 上巻・中巻（全三巻予定）

田中智行訳（朝日・中日新聞他で紹介）

三国志などと並び四大奇書の一つとされる、金瓶梅。そのイメージを刷新する翻訳に挑んだ意欲作。詳細な訳註も。 各3850円

小竜の国 ―亭林鎮は大騒ぎ

韓寒著　柏葉海人訳

中国のベストセラー作家にしてマルチに活躍する韓寒の第6作。上海・亭林鎮を舞台にカワサキゼファーが疾走する！ 1980円

スモッグの雲

イタロ・カルヴィーノ著　柘植由紀美訳

樹上を軽やかに渡り歩く「ペンのリス」、カルヴィーノの一九五〇年代の模索がここにも。他に掌篇四篇併載。 1980円

キングオブハート

G・ワイン・ミラー著　田中裕史訳

心臓外科の黎明期を描いた、ノンフィクション。彼らは憎悪と恐怖の中、未知の領域へ挑んでいった。 1980円

藤本卓教育論集

〈教育〉〈学習〉〈生活指導〉

藤本卓

子どもは、大人に教育されるだけでは育たない。筆者の遺した長年の研究による教育哲学の結晶がここにある。 3960円

アナイス・ニンとの対話 ―インタビュー集―

アナイス・ニン研究会訳

男性をまきこむ解放、男性と戦わない解放、男性を愛して共闘する解放を強調したアメリカ作家のインタビュー集。 1980円

図解 精神療法

日本の臨床現場で専門医が創る

広岡清伸

心の病の発症過程から回復過程、最新の精神療法を、医師自らが手がけたイラストとともに解説する。A4カラー・460頁。 13200円

アルザスワイン街道 ―お気に入りの蔵をめぐる旅―

森本育子（2刷）

アルザスを知らないなんて！ フランスの魅力はなんといっても豊かな地方のバリエーションにつきる。 1980円

ヨーゼフ・ロート小説集

平田達治／佐藤康彦 訳

第一巻 優等生、バルバラ、立身出世
サヴォイホテル、曇った鏡 他
第二巻 ヨブ・ある平凡な男のロマン
タラバス・この世の客
第三巻 殺人者の告白、偽りの分銅・計量検査官の物語、美の勝利
第四巻 皇帝廟、千二夜物語、レヴィアタン（珊瑚商人譚）
別巻 ラデツキー行進曲（2860円）
四六判・上製／平均480頁 4070円

ローベルト・ヴァルザー作品集

新本史斉／若林恵／F・ヒンターエーダー＝エムデ 訳

カフカ、ベンヤミン、ムージルから現代作家にいたるまで大きな影響をあたえる。

1 タンナー兄弟姉妹
2 助手
3 長編小説と散文集
4 散文小品集Ⅰ
5 盗賊／散文小品集Ⅱ
四六判、上製／各巻2860円

詩人の生　新本史斉訳（1870円）
絵画の前で　若林恵訳（1870円）
微笑む言葉、舞い落ちる散文　新本史斉著
ローベルト・ヴァルザー論（2420円）

＊新刊・話題作

紅色のあじさい 津村節子自選作品集
（読売新聞で紹介）
津村節子

「季刊文科」に掲載されたエッセイを中心に、大河内昭爾との対談、自身の半生を語った中沢けいとの対談なども収録。 1980円

笙野頼子発禁小説集
（東京新聞、週刊新潮、婦人画報等で紹介）（2刷）
笙野頼子

多くの校閲を経て現行法遵守の下で書かれた難病、貧乏、裁判、糾弾の身辺報告。文芸誌掲載作を中心に再構築。 2200円

感動する、を考える
相良敦子

NHK朝ドラ（ウェルかめ）の脚本家による斬新な「感動」論。若松節朗監督、東大名誉教授竹内整一氏推薦。 1540円

グリム ドイツ伝説集〈新訳版〉
鍛治哲郎／桜沢正勝 訳

グリム兄弟の壮大なる企て。民族と歴史の襞に分け入る試行、完全新訳による585篇と関連地図を収録。 5940円

Y字橋
（日経新聞・東京・中日新聞、週刊新潮等で紹介）
佐藤洋二郎

各文芸誌に掲載された6作品を収録した至極の作品集。これこそが大人の小説。小説家・藤沢周氏推薦。 1760円

古代史サイエンス
DNAとAIから縄文人、邪馬台国、日本書紀、万世一系の謎に迫る
金澤正由樹

最新のゲノム、AI解析により古代史研究に革命が起こる！ ゲノム解析にAIを活用した著者の英語論文を巻末に収録。 1650円

オートバイ地球ひとり旅
アメリカ大陸編・ヨーロッパ編・アフリカ編（全七巻予定）
松尾清晴

19年をかけ140ヵ国、39万キロをたったひとりで冒険・走破した〝地球人ライダー〟の記録。関野吉晴さん推薦。 各1760円

親子の手帖〈増補版〉
（初版4刷、増補版2刷）
鳥羽和久

増補にあたり村井理子さんの解説と新項目を追加収録。全体の改訂も行った待望のリニューアル版。奥貫薫さん推薦。 1540円

マリーア・ズィビラ・メーリアン スリナム産昆虫変態図譜1726年版
岡田朝雄・奥本大三郎 訳 白石雄治・製作総指揮

A3判・上製 世界限定600部 3万5200円

愛知ふるさと素描
河村アキラ

『名古屋ふるさと素描』に、新たに40枚を追加。愛知県内各地に残されたニッポンの消えゆく庶民の原風景を描く。

1980円

純文学宣言 季刊文科25〜90
（61より各1650円）

〈編集委員〉伊藤氏貴、勝又浩、佐藤洋二郎、富岡幸一郎、中沢けい、松本徹、津村節子

【文学の本質を次世代に伝え、かつ純文学の孤塁を守りつつ、文学の復権を目指す文芸誌】

鳥影社出版案内

2023

イラスト／奥村かよこ

choeisha

文藝・学術出版 鳥影社

〒160-0023 東京都新宿区西新宿 3-5-12 トーカン新宿 7F

TEL 03-5948-6470 FAX 0120-586-771（東京営業所）

〒392-0012 長野県諏訪市四賀 229-1（本社・編集室）

TEL 0266-53-2903 FAX 0266-58-6771 郵便振替 00190-6-88230

ホームページ www.choeisha.com メール order@choeisha.com

お求めはお近くの書店または弊社（03-5948-6470）へ

弊社へのご注文は 1000 円以上で送料無料です

3. Et sur cett' branche devinez ce qu'il y a ? (*bis*)
Y'a un' feuille, la plus belle feuille,
Feuille sur la branche,
Branche sur l'arbre,
Arbre du bois,
Petit bois derrière chez moi.

そしてこの枝に、なにがあるか当ててごらん？ (*bis*)
1枚の葉っぱがあるのよ、もっとも美しい葉っぱが、
枝に葉っぱ、
木に枝、
森の木、
家の裏手の小さな森。

4. Et sur cette feuille devinez ce qu'il y a ? (*bis*)
Y'a un nid, le plus beau nid,
Nid sur la feuille,
Feuille sur la branche,
Branche sur l'arbre,
Arbre du bois,
Petit bois derrière chez moi.

そしてこの葉っぱの上に、なにがあるか当ててごらん？ (*bis*)
鳥の巣が1つあるのよ、もっとも美しい巣が、
葉っぱの上に巣、
枝に葉っぱ、
木に枝、
森の木、

家の裏手の小さな森。

5. Et dans ce nid devinez ce qu'il y a ? (*bis*)
Y'a une aile, la plus belle aile,
Aile sur le nid,
Nid sur la feuille,
Feuille sur la branche,
Branche sur l'arbre,
Arbre du bois,
Petit bois derrière chez moi.
そしてこの巣のなかになにがあるか当ててごらん？ (*bis*)
翼が１枚あるのよ、もっとも美しい翼が、
その巣に鳥の翼、
葉っぱの上に巣、
枝に葉っぱ、
木に枝、
森の木、
家の裏手の小さな森。

6. Et sur cette aile devinez ce qu'il y a ? (*bis*)
Y'a une plume, la plus belle plume,
Plume sur l'aile,
Aile sur le nid,
Nid sur la feuille,
Feuille sur la branche,
Branche sur l'arbre,
Arbre du bois,

Petit bois derrière chez moi.

そしてこの鳥の翼になにがあるか当ててごらん？　(*bis*)
1枚の羽根があるのよ、もっとも美しい羽根が、
鳥の翼に羽根、
巣の上に鳥の翼、
葉っぱの上に巣、
枝に葉っぱ、
木に枝、
森の木、
家の裏手の小さな森。

7. Et sur cette plume devinez ce qu'il y a ?　(*bis*)
Y'a un poêle, le plus beau poêle,
poêle sur la plume,
Plume sur l'aile,
Aile sur le nid,
Nid sur la feuille,
Feuille sur la branche,
Branche sur l'arbre,
Arbre du bois,
Petit bois derrière chez moi.

その羽根の上になにがあるか当ててごらん？　(*bis*)
ストーブがあるのよ、もっとも美しいストーブが、
羽根の上にストーブ、
鳥の翼に羽根、
巣の上に鳥の翼、
葉っぱの上に巣、

枝に葉っぱ、
木に枝、
森の木、
家の裏手の小さな森。

8. Et dans ce poêle devinez ce qu'il y a ? (*bis*)
Y'a un feu, le plus beau feu,
Feu sur le poêle,
Poêle sur la plume,
Plume sur l'aile,
Aile sur le nid,
Nid sur la feuille,
Feuille sur la branche,
Branche sur l'arbre,
Arbre du bois,
Petit bois derrière chez moi.

そしてこのストーブのなかに、なにがあるか当ててごらん？ (*bis*)
火があるのよ、もっとも美しい火が、
ストーブに火、
羽根の上にストーブ、
鳥の翼に羽根、
巣の上に鳥の翼、
葉っぱの上に巣、
枝に葉っぱ、
木に枝、
森の木、
家の裏手の小さな森。

9. Et dans ce feu devinez ce qu'il y a ?　(*bis*)
Y'a un arbre, le plus bel arbre,
Arbre du bois,
Petit bois derrière chez moi.
　　この火のなかに、なにがあるか当ててごらん？　(*bis*)
　　1本の木があるのよ、もっとも美しい木が、
　　森の木、
　　家の裏手の小さな森。

Et la lon là lon lère et la lon là lon là　(*bis*)
　　エ・ラ・ロン・ラ・ロン・レール・エ・ラ・ロン・ラ・ロン・ラ　(*bis*)

〔資料⑧〕

ロラン・サバティエ編集の資料⑧によれば、この歌の多声ヴァージョンは、1556年から知られているというから、相当に古い。作曲は、ジョスカン・デ・プレ（Josquin des Prés,1450/1455?-1521）の弟子ピエール・ムリュ（Pierre Moulu,1484?-1550）だそうだ。作詞は不詳。

4分の2拍子の軽快な心弾む舞踏曲。踊りながらうたう。すべての舞踏会で最初を飾ったという。16世紀以来、いかなる変更もなかったというから、珍しい例だ。

歌詞は、いたって単純だ。この種の歌で意味を問うのは愚か、その非論理性を楽しめばいいのだが、とはいえ、順番に、家の裏手の森の木の枝の葉の上の巣のなかの鳥の翼の1枚の羽根の、……と進んできて、歌詞7～8番で、その1枚の羽根の上に「(本来、大きくて重い！) ストーブ」があり、火が燃え盛

っている……は、あまりにも突飛すぎはしないか？　もっとも、YouTube の動画のひとつに、ミニチュアのおもちゃのようなストーブが葉っぱの上に描かれているのを見つけたが、苦肉の策だろう。

実際、ロラン・サバティエ編集版も〔資料⑧〕、ジャン＝エデル・ベルティエ版も〔資料⑪〕、「1台のストーブ」(un poêle) のかわりに、苦し紛れとしか思えないが、同音異義語の「1本の毛」(un poil) を併記している。毛1本なら軽いだろうが、そう置き換えると、歌詞8番が「毛のなかに、火がある」式になり、別な意味で、これまたチンプンカンプンだ。

ゆえに、後世の正しい聴き方は、昔のひとの「空想力」を、理屈をこねず、あるがままに心を開いて楽しむことだろう。

それにしても、すべてのオブジェが最上級の褒め言葉「もっとも美しい」で形容され、家の裏手の野鳥の巣では、親鳥が卵を一生懸命温めている。ストーブは雛を温める親鳥の愛情の暗喩でもあるだろう。このほのぼのとした情景は、命の美しさ尊さを、そこはかとなく伝えてくれる。

形式としては、一言でいえば、円環構造の積み上げ歌だ。つぎつぎと新しい要素が積み重ねられていき、最後の最後に最初のフレーズに回帰するという仕組みだが、反復して閉じるこの構造は、すぐにも中世に流行った定型詩ロンドー (rondeau) を想起させるだろう。

郵便はがき

料金受取人払

諏訪支店承認

2

差出有効期間
令和5年4月
30日迄有効

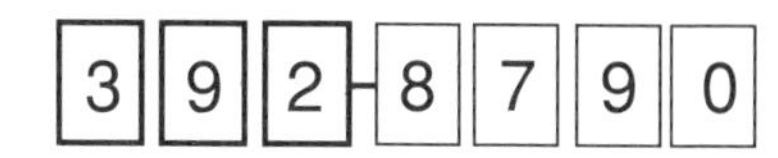

〈受取人〉

長野県諏訪市四賀229－1

鳥影社編集室

愛読者係　行

ご住所　〒□□□-□□□□
(フリガナ) お名前
お電話番号　(　　)　-
ご職業・勤務先・学校名
eメールアドレス
お買い上げになった書店名

鳥影社愛読者カード

このカードは出版の参考にさせていただきますので、皆様のご意見・ご感想をお聞かせください。

書名	

① 本書を何でお知りになりましたか？

ⅰ.書店で
ⅱ.広告で（　　　　　　　　　　）
ⅲ.書評で（　　　　　　　　　　）
ⅳ.人にすすめられて
ⅴ.DMで
ⅵ.その他（　　　　　　　　　　）

② 本書・著者へご意見・感想などお聞かせ下さい。

③ 最近読んで、よかったと思う本を教えてください。

④ 現在、どんな作家に興味をおもちですか？

⑤ 現在、ご購読されている新聞・雑誌名

⑥ 今後、どのような本をお読みになりたいですか？

◇購入申込書◇

書名　　　　　　　　　　　　¥　　　　　　（　　）部

書名　　　　　　　　　　　　¥　　　　　　（　　）部

書名　　　　　　　　　　　　¥　　　　　　（　　）部

21. *Derrière chez nous y a un étang* (*V'là l'bon vent*)
家の裏手には池がある（ああ、いい風だ）

1. Derrière chez nous y a un étang
Dedans mon cœur y a un amant
Trois beaux canards y vont nageant.
家の裏手には池がある
あたしの心のなかには、恋人がいるの
３羽の美しいカモがその池に泳ぎに行くわ。

[Refrain]
V'là l'bon vent, v'là l'joli vent
V'là l'bon vent, ma mie m'appelle
V'là l'bon vent, v'là l'joli vent
V'là l'bon vent, ma mie m'attend
［ルフラン］
ああ、いい風だ、ああ、すてきな風だ
ああ、いい風だ、ぼくの愛しい女(ひと)がぼくを呼んでいる
ああ、いい風だ、ああ、すてきな風だ
ああ、いい風だ、ぼくの愛しい女(ひと)がぼくを待っている

2. Trois beaux canards y vont nageant
Dedans mon cœur y a un amant
Le fils du roi y va chassant.
３羽の美しいカモがその池に泳ぎに行くわ
あたしの心のなかには、恋人がいるの
王の息子が池に狩りに行く。

3. Le fils du roi y va chassant
   Dedans mon cœur y a un amant
   Avec son beau fusil d'argent.
   王の息子が池に狩りに行く
   あたしの心のなかには、恋人がいるの
   立派な銀の銃をもって。

4. Avec son beau fusil d'argent
   Dedans mon cœur y a un amant
   Visa le noir, tua le blanc.
   立派な銀の銃をもって
   あたしの心のなかには、恋人がいるの
   黒いカモを狙ったけど、白いカモを殺したわ。

5. Visa le noir, tua le blanc
   Dedans mon cœur y a un amant
   Par-dessous l'aile il perd son sang.
   黒いカモを狙ったけど、白いカモを殺したわ
   あたしの心のなかには、恋人がいるの
   白いカモが、羽の下から血を流しているわ。

6. Par-dessous l'aile il perd son sang
   Dedans mon cœur y a un amant
   Et par le bec, l'or et l'argent.
   白いカモが、羽の下から血を流しているわ
   あたしの心のなかには、恋人がいるの

そして嘴からは、金と銀を。

7. Et par le bec, l'or et l'argent
Dedans mon cœur y a un amant
Toutes ses belles plumes s'envolent au vent.
そして嘴からは、金と銀を
あたしの心のなかには、恋人がいるの
白いカモのすべての美しい羽が、風に舞い上がる。

8. Toutes ses belles plumes s'envolent au vent
Dedans mon cœur y a un amant
Trois dames s'en vont les ramassant.
白いカモのすべての美しい羽が、風に舞い上がる
あたしの心のなかには、恋人がいるの
３人のご婦人方が、その羽を集めに行くわ。

9. Trois dames s'en vont les ramassant
Dedans mon cœur y a un amant
Ça s'ra pour faire un beau lit blanc.
３人のご婦人方が、その羽を集めに行くわ
あたしの心のなかには、恋人がいるの
美しい白いベッドを作るためでしょう。

10. Ça s'ra pour faire un beau lit blanc
Dedans mon cœur y a un amant
Le fils du roi couchera dedans.
美しい白いベッドを作るためでしょう

あたしの心のなかには、恋人がいるの
王の息子がそのベッドのなかで寝るのね。

〔資料⑬〕

この歌のヴァリアントはたくさんある。タイトルも、*Derrière chez nous y a un étang*（家の裏手には池がある）以外に、*V'là l'bon vent*（ああ、いい風だ）〔資料⑦⑪〕、*Le canard blanc*（白いカモ）〔資料①〕、*C'est l'vent frivolant*（気まぐれな風だ）〔資料Ⅱ-5〕等々、いろいろだ。マルタン・ペネは、「カナダのケベック地方の古い歌」だと記している。フランスででている童謡絵本には、もっと具体的に、17世紀中頃にカナダで生まれたシャンソン、つまり「シャンソン・カナディエンヌ」(chanson canadienne) で、うたいながら踊るロンドに属し、もともとは船の櫂（かい）をこぐときに、このリズムに合わせてうたいながら、サン＝ロラン（セント＝ローレンス）川を遡行したという記述がある〔資料Ⅱ-5〕。

ルフランは、時代により地方により、またフランスかカナダかにより様々だが、マルタン・ペネ版もピエール・ショメイユ版も、現代で最も普及している同じルフランを採用している。そこで、ピエール・ショメイユ版を紹介するにあたっては、ルフランを省き、1番〜7番までの歌詞（クープレ）のみを挙げておこう。ただし、注によると、できてほんの40年ぐらいとあるから、出版年から推して、20世紀前半に書かれたヴァージョンだろう〔資料⑦〕。内容は微妙に異なる。

1. Derrière chez nous, y a-t-un étang　　(*bis*)
   Trois beaux canards s'en vont baignant.

家の裏手に、池がある　(*bis*)
３羽の美しいカモがその池に水浴びに行く。

2. Le fils du Roi s'en va chassant　(*bis*)
Avec son beau fusil d'argent.
王の息子が狩りに行く　(*bis*)
立派な銀の銃をもって。

3. Visa le noir, tua le blanc.　(*bis*)
— Ô fils du Roi, tu es méchant.
黒いカモを狙ったが、白いカモを殺した。(*bis*)
「おお、王子様、なんてあなたは意地悪なの。

4. D'avoir tué mon canard blanc !　(*bis*)
Par-dessous l'aile il perd son sang.
あたしの白いカモを殺したなんて！(*bis*)
羽の下から、血を流してるわ。

5. Par les yeux lui sort des diamants,　(*bis*)
Et par le bec, l'or et l'argent.
両目からは、ダイヤモンドがどんどんでてくるし、(*bis*)
そして嘴からは、金と銀が。

6. Toutes ses plum's s'en vont au vent,　(*bis*)
Trois dam's s'en vont les ramassant.
すべての美しい羽が、風に舞い上がっていき、(*bis*)
３人のご婦人方が、その羽を集めに行くわ。

7. C’est pour en faire un lit de camp　(*bis*)
Pour y coucher tous les passants.
その羽で野営用の簡易ベッドを作るためよ　(*bis*)
通りがかりのひとすべてを寝かせられるように」

娘の心のなかには、恋人がいる。いわゆる、おとぎ話にでてくる「美しい王子様＝理想の男性」（Prince Charmant）だ。しかし、この歌の王子は残酷だ。ヒロインの愛する「白いカモ」を、銃で殺してしまったのだから。それも黒いカモを狙って外したあげくの殺傷だから、命のもてあそび方が酷い。娘の心のなかの「恋人」は、この王子では決してないだろうに。

なのに、マルタン・ペネ版では、この「白いカモ」の羽で作ったベッドには、この王子が寝ることになるだろうと……。強いものの要求・権利がどこまでもとおる時代を窺わせる。

ピエール・ショメイユ版では、「白いカモ」の白い羽でできたベッドは、たんに通りがかりであれ、行きずりであれ、一夜のベッドを求める旅人すべてに供される。民主主義（？）の色濃い結末は、確かに20世紀の歌詞だろう。

蛇足ながら、カモの白い羽でベッドを作るくだりは、日本民話の「鶴の恩返し」を思い起こさせた。一瞬で、消えたけど。不本意な死を迎えた「白いカモ」が、その美しい羽で恩返しする対象は、どこにも存在しない。可愛がってくれていた娘ですら、命を守ってくれる存在にはなりえなかったのだから……。

＊

カナダには、「白いカモが、羽の下から血を、両目からダイヤモンドを、嘴からは金と銀をだす」という歌詞を含む曲が、ほかにもある。「気まぐれな風だ」（*C'est l'vent, c'est l'vent frivolant*）がそれで、第二次世界大戦後の左岸（Rive gauche）のキャバレーで活躍した歌手ジャック・ドゥエ（Jacques Douai, 1920-2004）がうたった版を紹介しよう〔資料⑳〕。ちなみにドゥエは、フランス中世の歌や古い民間伝承をたくさん取り上げたことで、現代のトゥルバドゥール（Troubadour des temps modernes）と呼ばれたそうだ〔資料⑲〕。

C'est l'vent, c'est l'vent frivolant,
C'est l'vent, c'est l'vent frivolant.
風だ、気まぐれな風だ、
風だ、気まぐれな風だ。

1. Derrièr' chez nous y'a t'un étang ;
C'est l'vent, c'est l'vent frivolant ;
Trois beaux canards s'en vont nageant ;
C'est l'vent, c'est l'vent frivolant ;
Le fils du roi s'en va chassant.
C'est le vent qui vole, qui frivole.
C'est l'vent, c'est l'vent frivolant,
C'est l'vent, c'est l'vent frivolant.
我が家の裏に池がある、
風だ、気まぐれな風だ、
3羽の美しいカモが泳いで行く、
風だ、気まぐれな風だ、
王子が狩りに行く。

風が舞い上がる、気まぐれに。
風だ、気まぐれな風だ、
風だ、気まぐれな風だ。

2. Il a tué mon canard blanc ;
C’est l’vent, c’est l’vent frivolant ;
Visa le noir, tua le blanc ;
C’est l’vent, c’est l’vent frivolant ;
Oh ! Fils du roi, tu es méchant !
C’est le vent qui vole, qui frivole.
C’est l’vent, c’est l’vent frivolant,
C’est l’vent, c’est l’vent frivolant.
王子は私の白いカモを殺した、
風だ、気まぐれな風だ、
黒いカモに狙いをつけ、白いカモを殺した、
風だ、気まぐれな風だ、
おお！王子よ、あなたは意地悪だ！
風が舞い上がる、気まぐれに。
風だ、気まぐれな風だ、
風だ、気まぐれな風だ。

3. Par dessus l’aile, il perd son sang ;
C’est l’vent, c’est l’vent frivolant ;
Par les yeux lui sort’nt des diamants ;
C’est l’vent, c’est l’vent frivolant ;
Et par le bec l’or et l’argent.
C’est le vent qui vole, qui frivole.

C'est l'vent, c'est l'vent frivolant,
C'est l'vent, c'est l'vent frivolant.

白いカモは羽の上から、出血している、
風だ、気まぐれな風だ、
白いカモの両目からは、ダイヤモンドがでてくる、
風だ、気まぐれな風だ、
そして嘴からは、金と銀が。
風が舞い上がる、気まぐれに。
風だ、気まぐれな風だ、
風だ、気まぐれな風だ。

4. Que ferons-nous de tant d'argent ?
C'est l'vent, c'est l'vent frivolant ;
Nous mettrons les fill's au couvent ;
C'est l'vent, c'est l'vent frivolant ;
Et les garçons au régiment;
C'est le vent qui vole, qui frivole.
C'est l'vent, c'est l'vent frivolant,
C'est l'vent, c'est l'vent frivolant.

私たち、そんなにもたくさんのお金をどうしよう？
風だ、気まぐれな風だ、
私たちは、娘たちを修道院にいれるだろう、
風だ、気まぐれな風だ、
そして男の子たちは連隊に、
風が舞い上がる、気まぐれに。
風だ、気まぐれな風だ、
風だ、気まぐれな風だ。

5. Derrièr' chez nous y'a t'un étang ;
C'est l'vent, c'est l'vent frivolant ;
Trois beaux canards s'en vont nageant ;
C'est l'vent, c'est l'vent frivolant ;
Trois beaux canards s'en vont nageant ;
C'est le vent qui vole, qui frivole.
C'est l'vent, c'est l'vent frivolant,
C'est l'vent, c'est l'vent frivolant.

我が家の裏に池がある、
風だ、気まぐれな風だ、
3羽の美しいカモが泳いで行く、
風だ、気まぐれな風だ、
3羽の美しいカモが泳いで行く。
風が舞い上がる、気まぐれに。
風だ、気まぐれな風だ、
風だ、気まぐれな風だ。

*

ところで、ジャン＝クロード・クランによれば、フランスの民族音楽学者パトリス・コワロー（Patrice Coirault, 1875-1959）は、1927年に出版した浩瀚な研究書（*Recherches sur notre ancienne chanson populaire traditionnelle*, Librairie Droz, 1927-33）のなかで、16世紀から19世紀にかけての膨大な数のシャンソンや定型表現（決まり文句）や旋律を収集し調査した結果、いわゆる「白いカモ」（Canard blanc）の歌の系列に行きついたという。そしてこの歌は、伝承シャンソンが本来的に可塑性を有していること、いいかえれば元歌の本質を変えることなく次々とヴ

ァリアントを生みだしていく柔軟性に富んでいる、その例証だという。コワローが明らかにした主な点を３つ上げると、

１つ目は、この歌の冒頭の句は、つねにDerrière chez nous y a-t-un étang（池の裏手には池がある）か、Mon père m'a donné un étang（父があたしに池をくれた）のいずれかで、どのヴァリアント（異本・異文）においても同じだ。

２つ目は、王の息子（王子）が「白いカモ」を殺すという同一のテーマ。それゆえに、この王子は語り手によって非難・攻撃の的にされているということ。

３つ目は、ルフランが、種々様々に変化しているということ。私見を挟(はさ)めば、冒頭の一句が２種類に限定されるのと対照的だ。

「白いカモ」がテーマのこの歌は、カナダのケベック地方のみならず、フランスのオイル語圏全地域（ロワール川以北の地域）でもよく知られている。元々は、その多くが８分の６拍子だったようだが、19世紀になってはじめて現在うたわれているような４分の２拍子の「尻取り連鎖形式のロンド」(ronde enchaînée)の形をとるようになったという。〔Cf. 資料③〕

〔資料⑦〕

22. *Le fermier dans son pré*

牧草地の農夫

1. Le fermier dans son pré　(*bis*)
   Ohé, ohé, ohé,
   Le fermier dans son pré.
   牧草地に農夫が　(*bis*)
   オエ、オエ、オエ、
   牧草地に農夫が。

2. Le fermier prend sa femme　(*bis*)
   Ohé, ohé, ohé,
   Le fermier prend sa femme.
   その農夫が妻を捕(つか)まえる　(*bis*)
   オエ、オエ、オエ、
   その農夫が妻を捕まえる。

3. La femme prend son enfant　(*bis*)
   Ohé, ohé, ohé,
   La femme prend son enfant.
   その妻が子どもを捕まえる　(*bis*)
   オエ、オエ、オエ、
   その妻が子どもを捕まえる。

4. L'enfant prend sa nourrice　(*bis*)
   Ohé, ohé, ohé,
   L'enfant prend sa nourrice.

その子どもが乳母を捕まえる　(*bis*)
オエ、オエ、オエ、
その子どもが乳母を捕まえる。

5. La nourrice prend son chien　(*bis*)
Ohé, ohé, ohé,
La nourrice prend son chien.
その乳母がイヌを捕まえる　(*bis*)
オエ、オエ、オエ、
その乳母がイヌを捕まえる。

6. Le chien prend le chat　(*bis*)
Ohé, ohé, ohé,
Le chien prend le chat.
そのイヌがネコを捕まえる　(*bis*)
オエ、オエ、オエ、
そのイヌがネコを捕まえる。

7. Le chat prend la souris　(*bis*)
Ohé, ohé, ohé,
Le chat prend la souris.
そのネコがネズミを捕まえる　(*bis*)
オエ、オエ、オエ、
そのネコがネズミを捕まえる。

8. La souris prend le fromage　(*bis*)
Ohé, ohé, ohé,

La souris prend le fromage.

そのネズミがチーズを掴(つか)む　(*bis*)

オエ、オエ、オエ、

そのネズミがチーズを掴む。

9. Le fromage est battu　(*bis*)

Ohé, ohé, ohé

Le fromage est battu.

そのチーズはぶたれる　(*bis*)

オエ、オエ、オエ、

そのチーズはぶたれる。

〔資料⑲、Cf. 資料II-7〕

最終詩行「そのチーズはぶたれる」の直後に、もう1行「生のままで！」(Tout cru !) が付くヴァージョンもあるようだ〔資料⑳、Mama Lisa's World〕。作詞作曲年代不詳のロンド形式のコンティーヌ。一説に、起源はドイツで、その後、移民によって北アメリカに伝えられ、「樹木の茂る小さな谷間の農夫」(*The Farmer in the Dell*) というタイトルで知られるようになった。やがて、それが世界各地に広まり、多くの言語に翻訳されたという〔資料⑲〕。遊び方は、次のとおり。

子どもたちは、あらかじめ農夫役に決まったひとりの子どもを真ん中にして、手をつないで輪を作り、この歌をうたいながら周囲を回る。そして、歌詞1番「牧草地に農夫が (*bis*) ／オエ、オエ、オエ、／牧草地に農夫が」がうたわれているあいだに、農夫役は周囲の輪を作っている子どもたちのなかから妻役を選ぶ。

妻役は輪の中心にはいり農夫（＝夫）役といっしょになる。歌詞2番「その農夫が妻を捕まえる (*bis*) ／オエ、オエ、オエ、／その農夫が妻を捕まえる」がうたわれているあいだに、妻役は同様のやり方で子ども役を選ぶ。

順次、歌詞がすすむごとに、子ども役が乳母役を選び、乳母役がイヌ役を選び、イヌ役がネコ役を選び、ネコ役がネズミ役を選び、最後の歌詞 le fromage est battu（そのチーズはぶたれる）で、ネズミ役がチーズ役の子どもを選ぶ。このチーズ役の子どもは、ふつう、輪の真ん中で地面に座るか膝をつくかし、それ以外の子どもたちみなが、もっているふりをした棒でぶつふりをする。チーズ役の子どもは、自動的につぎの農夫役になって、遊びはつづく。〔Cf. 資料⑲、資料⑳ Mama Lisa's World〕

〔資料Ⅱ-7〕

23. *Les filles de La Rochelle*

ラ・ロシェルの娘たち

1. Sont les filles de La Rochelle,
   Ont armé un bâtiment,　(*bis*)
   Pour aller faire la course,
   Dedans les mers du Levant.

   ラ・ロシェルの娘たちだ、
   船を艤装（ぎそう）したのは、 (*bis*)
   私掠（しりゃく）行為に行くために、
   地中海東部の海域へ。

   [Refrain]
   Ah ! la feuille s'envole, s'envole,
   Ah ! la feuille s'envole au vent !

   ［ルフラン］
   ああ！　葉っぱが舞う、舞う、
   ああ！　葉っぱが、風に舞う！

2. La grand'vergue est en ivoire,
   Les poulies en diamant,　(*bis*)
   La grand'voile est en dentelle,
   La misaine en satin blanc.

   主桁（しゅげた）は象牙で、
   滑車（かっしゃ）はダイヤモンド、 (*bis*)
   主帆（しゅほ）はレース織りで、
   前檣下帆（ぜんしょうしたほ）は白のサテンだ。

3. Les cordages du navire
Sont des fils d'or et d'argent, (*bis*)
Et la coque est en bois rouge
Travaillé fort proprement.

船のロープは
金糸と銀糸からなり、(*bis*)
船体は赤く塗られた木製で
細工は流々の仕上げだ。

4. L'équipage du navire,
C'est tout filles de quinze ans, (*bis*)
L'capitaine qui les commande
Est le roi des bons enfants.

船の乗組員は、
全員、15 歳の娘たちだ、(*bis*)
この娘たちを指揮する船長は
よい子たちの王様だ。

5. Hier, faisant sa promenade
Dessus le gaillard d'avant, (*bis*)
Aperçut une brunette
Qui pleurait dans les haubans.

昨日、船長は、(甲板を) 散歩していて
船首楼の上のほうに、(*bis*)
褐色の髪の娘を見かけた、
その娘はシュラウドのなかで泣いていた。

6. « Qu'avez-vous, jeune brunette,
Qu'avez-vous à pleurer tant ?　(*bis*)
Avez-vous perdu père et mère,
Ou quelqu'un de vos parents ?
「どうしたの、褐色の髪の娘さん、
どうしてそんなに泣いているの？　(*bis*)
お父さんとお母さんを亡くしたの、
あるいは、親類のだれかを？」

7. —J'ai perdu la rose blanche,
Qui s'en fut la voil' au vent:　(*bis*)
Elle est partie vent arrière,
Reviendra-z-en louvoyant. »
「あたし、白いバラを失ってしまったの、
風に吹かれた帆のように行ってしまった、(*bis*)
追い風に運ばれて飛んで行ってしまった、
けど、船を上手回しすれば、戻ってくるわ」

〔資料⑦、Cf. 資料⑬〕

タイトルは、*Sont les filles de La Rochelle*（ラ・ロシェルの娘たちだ）でも知られる。作詞作曲不詳。帆船の部位、あるいは運行の際の専門用語がたくさんでてくるこの物語歌は、船の乗組員たちが、暇な時に「船首楼船室」(gaillard d'avant) で口ずさんだレパートリーの歌ならではの特徴を備えている。船乗りたちは、夢幻的な話題から、あけすけな話まで、取り混ぜて語ったことだろう。アンリ・ダヴァンソンによれば、英仏海峡沿岸及び大西洋沿岸全域に広がり、さらにはカナダにまで伝わったという〔資料①〕。

だが、この歌の船が目指す方向は違う。歌詞1番が示すように、le Levant（ル・ルヴァン）、――「レヴァント地方」、――だ。フランスから見た東方の国（地方）、つまり、中近東・エジプトからギリシャを含む地中海東部沿岸地方一帯だ〔ロワイヤル仏和中辞典（旺文社）〕。当然、歌の地域的広がりとも呼応しているだろう。

また、ジャン＝クロード・クランによれば、現在うたわれている歌詞が最初に印刷出版されたのは、1841年のこと。翌1842年には、ジェラール・ドゥ・ネルヴァル（Gérard de Nerval, 1808-55）が、一般に知られている歌詞とはやや異なる語彙と順序でこの歌を、雑誌『ラ・シルフィッド』*La Sylphide*（1842年7月10日号）に引用し、「外国人は、われわれフランス人が詩情と色彩感覚に欠けていると非難するが、われわれの船乗りたちのこの歌ほどオリエント的筋立てと想像力に富む歌を、どこかほかにみいだせるだろうか？」と述べて、外国からの非難に反論した。

また、メロディが印刷出版されたのは、アンリ・ダヴァンソンによると、1846年のことである〔資料①〕。以後、この旋律が定着した。

19世紀をとおして、口承だけでなく、民俗学者たちによる印刷物出版が、この歌を広く普及させた。民衆の間のみならず、パリの芸術界や文壇、及び学者間でも流行したが、1910年から1930年にかけては、小学生から大学生まで、さらには軍隊においても、幅広くうたわれるようになったという〔資料③〕。

ところで、この歌が実際にできたのは、専門家の説では、18世紀のことらしい〔資料③〕。ふつうはこれ以上さかのぼらないが、navire merveilleux（見事な船／不思議な船）のテーマなら、15世紀まで辿れると、アンリ・ダヴァンソンは、次の一節を挙げて指摘している〔資料①〕。

Voyez-ci mes amours venir
　En un bateau sur Seine
Qui est couvert de sapin;
　Les cordons en sont de soie,
La voile en est de satin;
　Le grand mât en est d'ivoire,
L'estournay en est d'or fin...

ほらご覧、わたしの愛するひとたちがやって来るのを
　セーヌ川を1艘の船で
その船は樅材でおおわれている、
　紐は絹製で、
帆はサテンで、
　メーンマストは象牙で、
舵は純金製だ……

〔注〕l'estournay=le gouvernail：（船の）舵

*

さすがに、帆船の各部位に関わる用語はなじみが薄い。gaillard d'avant（船首楼船室）、la grand'vergue（主桁、メーンヤード）、les poulies（滑車、プーリー）、la grand'voile（主帆、メインセール）、la misaine（前檣下帆、フォースル）、les haubans（シュラウド、帆船のマストを左右から支える索の総称）

など、実際に帆船の構造説明図を見なければ、よくわからないだろう。

さらに、歌詞7番最終行の louvoyant / louvoyer（上手回しする、間切る）は、運行用語で、「帆船が風を斜め前から受け、風上に向かってジグザグに進むこと、ジグザグ帆走すること」をいう。

*

だが、こうした海事専門用語がわからなくても、歌の本質理解には困らない。いまあげたそれぞれの部位が、象牙だったりダイヤモンドだったり、レース織だったり白のサテンだったり、それ以外にもロープは金糸・銀糸でできているという夢のような帆船が想像できれば、もう充分だ。そこに、歌詞4番の「この娘たちを指揮する船長は／よい子たちの王様だ」を重ねれば、この歌の乗組員の娘たちは、お伽の国のお姫様たちになぞらえることだってできるだろう。そうすれば歌全体が、詩的で夢幻的な雰囲気に包まれる。実際 YouTube の動画では、可愛らしい女の子たちが船上ではしゃいでいる。

*

ヴァリアントは多数あるが、重要な一例を挙げておこう。

歌詞7番の J'ai perdu la rose blanche（あたし、白いバラを失ってしまったの）のヴァリアントとして、まれにだが、J'ai perdu mon avantage（あたし、あたしの優位性を失ってしまったの）と、記された歌詞がある。

じつは、フランス語で perdre la rose といえば、「処女性を喪失する」という意味だ。それから類推して、J'ai perdu mon avantage の「あたしの優位性」と訳した部分も、「処女性」の言い換えと考えられるだろう。処女であることは、何物にもましての利点、アドヴァンテージになりうるから。そして、もちろん失った相手は、歌には登場しない美男の若い船乗りだろう。

じっさい、「白いバラ」や、「あたしの優位性」ということばの背後に品よく隠蔽(いんぺい)された真実を、――そう、口承で伝えられてきた本来のヴァージョンを、――復元しようという動きがあった。ジャン＝クロード・クランは、その一節をきちんと引いている。

J'ai perdu mon pucelage
Qui s'en fut la voil' au vent　(*bis*)
Elle est partie vent arrière
Reviendra-z-en louvoyant.

あたし、あたしの処女を喪失したの
行ってしまったのよ、風に吹かれた帆のように　(*bis*)
追い風で飛んで行ってしまった
けど、船を上手回しすれば、戻ってくるわ。

*

この歌に出てくるラ・ロシェル La Rochelle は、フランスのヌーヴェル＝アキテーヌ地域圏、シャラント＝マリティーム県のコミューヌで、ビスケー湾の入り江にある。現在も大西洋漁業で重要な役割を果たす港湾都市だが、かつてはフランス西海岸最大の漁港だった。加えて、中世の 12 世紀以来、貿易港としての役割も担っている。

〔資料⑦〕

24. *Gugusse*
ギュギュス

C'est Gugusse avec son violon
Qui fait danser les filles,
Qui fait danser les filles,
C'est Gugusse avec son violon
Qui fait danser les filles
Et les garçons.

ヴァイオリンを手にしたギュギュスだ
女の子たちを踊らせるのは、
女の子たちを踊らせるのは、
ヴァイオリンを手にしたギュギュスだ
女の子たちを踊らせるのは、
そして男の子たちも。

Mon papa
Ne veut pas
Que je danse, que je danse,
Mon papa
Ne veut pas
Que je danse la polka.

あたしのパパは
望んでないの
あたしが踊るのを、踊るのを、
あたしのパパは
望んでないの

あたしがポルカを踊るのを。

Il dira
Ce qu'il voudra,
Moi je danse, moi je danse,
Il dira
Ce qu'il voudra,
Moi je danse la polka.

パパはいうでしょうけど
自分が望んでいることを、
でも、あたしは踊るわ、踊るわよ、
パパはいうでしょうけど、
自分が望んでいることを、
でも、あたしはポルカを踊るわ。

〔資料⑨〕

アンヌ・ブアンによれば、この歌は、もともとは田舎の結婚式でヴァイオリンを弾いた、いわゆる「村の（祭りの）ヴァイオリン弾き」（violoneux、あるいは ménétrier）の音楽にあわせてうたい踊ったもので、第２帝政期（Second Empire,1852-70）にうまれ、流行ったという。また、ポルカ（polka）は、「ポーランドあるいはチェコを起源とする２拍子の舞踏」〔小学館ロベール仏和大辞典〕のことで、この語が初めてフランス語として使用されたのは 1842 年のことだそうだ。〔資料⑨〕

別の資料によれば、その田舎とはヴォージュ県とロレーヌ地域圏のことだという〔資料⑳、Mama Lisa's World〕。聞きおく程度にしておこう。

＊

幼稚園児向けの簡単な歌詞をともなう、単純なロンドだ。遊び方は、グループで輪になり、最初の詩行 1－6「ヴァイオリンを手にしたギュギュスだ／……／そして男の子たちも」では、ギュギュス役の子どもが輪の中心にはいり、みながうたうのに合わせ、ひとり踊る。次に、「あたしのパパは／望んでないの／あたしが踊るのを、踊るのを」では、ギュギュスは輪になった子どものなかから相手をひとり選び、向き合い、ともにパパの拒否を示す所作をしながら、その場でうたい踊る。さらに、「パパはいうでしょうけど／自分が望んでいることを、／でも、あたしは踊るわ、踊るわよ」では、手をあげて踊る意志を示しながら、──自分の手を打ちながら、という説もあるが、──うたい踊る。そしてギュギュスと向き合っていた子も輪のなかにはいり、ふたりのギュギュスで、最初にもどって歌をうたう。くり返されれば、輪のなかのギュギュスは増えていき、周囲の輪を構成する子どもたちの数は減り、同数になったところでこのロンドは終わる。

＊

ところで、問題はギュギュス（Gugusse）だが、固有名詞ではない。仏和辞典で確認してみたが、『小学館ロベール仏和大辞典』にも、『ロワイヤル仏和中辞典』〔旺文社〕にも、記載はなかったが、（1）『プチ・ロワイヤル仏和辞典』〔旺文社〕と（2）『ディコ仏和辞典』〔白水社〕には、それぞれ次のような訳語が載っていた。まったく同じ内容だ。

（1）①道化師、ピエロ　②《話》ふざけた［不真面目な］人。
（2）①道化師　②《話》ふざけた［不真面目な］人。

もちろんこの歌の文脈では、上記の意味はストレートにはあてはまらないだろう。アマチュアのヴァイオリン弾きが、ふざけてというわけでもないが、気紛れにヴァイオリンを弾いたところ、みなが喜んで楽しく踊りはじめた、というお話だ。

*

ダンスに行きたがる娘に、なぜ父親は反対するのだろう。理由は簡単、そこに集う男の子たちを心配しているのだ。自分も、かつてはその男の子たちのひとりだったことを忘れて。いや、逆だ。賑やかな村祭りにはしゃぐ女の子を見たときの胸のトキメキが、あざやかに蘇るからだ。娘をもったときに身勝手な親心が働くのは、それゆえだろう。娘の反抗心が、可愛い。

本書で挙げたシャンソン「43. ノール橋の上で」（*Sur l' pont du Nord*）も、一見、似たようなケースだが、反対するのが母親で、娘を案じる親心に逆らったため、罰が当たって橋が崩れ、あげくのはてに溺れ死ぬという結末の悲劇が、いかにも子どもの歌らしい能天気な「ギュギュス」とは違う。

フランス、いや一般にヨーロッパのダンスの目的は、男女の身体を自然に触れさせることが目的のように思える。世間公認のもとで、だ。手をつなぎ、女性の腰に手をまわし、胸と胸が接近し……。ドキドキ、ときめかないはずがない。

一方で、未婚の女性の貞潔を声高に叫びながら、もう一方で、男女の微妙な機微を、潜在する官能性をくすぐろうという矛盾。ダンスとは、この二律背反に折り合いをつける高度の知恵、高級なテクニックなのだ。

それにひきかえ、日本の踊りは、たとえば日本三大盆踊り、——秋田の「西馬音内（にしもない）の盆踊り」、岐阜の「郡上（ぐじょう）踊り」、徳島の

「阿波踊り」、──にしても、ひとりひとりが前後左右に間隔をあけ、接触を避け、ただただ几帳面に一方向に進行するだけだ。一切、男女が触れあうことはない。

町内の盆踊りとて、同様だ。中央に位置する櫓の周囲を、何重かの同心円を描きながら、個々人が、ただひたすら熱中して踊りつづける。自己中・自己満足の情念が集積して、全体として興奮を巻き起こすという仕組みだ。

彼我のダンスと踊りの相違。どちらがいい、ということではない。双方対等な異文化として認めあえば、それで充分だろう。

〔資料II-7〕

25. *Il était un petit homme, pirouette*
小さな男がいましたとさ

1. Il était un petit homme,
   Pirouette, cacahouète,
   Il était un petit homme
   Qui avait une drôle de maison.　(*bis*)
   小さな男がいましたとさ、
   ピルエット、カカウエット、
   小さな男がいて、
   変な家をもっていましたとさ。　(*bis*)

2. La maison est en carton,
   Pirouette, cacahouète,
   La maison est en carton,
   Les escaliers sont en papier.　(*bis*)
   その家はボール紙でできていて、
   ピルエット、カカウエット、
   その家はボール紙でできていて、
   階段は紙でできていました。　(*bis*)

3. Si vous voulez y monter,
   Pirouette, cacahouète,
   Si vous voulez y monter,
   Vous vous casserez le bout du nez.　(*bis*)
   その家の階段を上がろうと思ったりすれば、
   ピルエット、カカウエット、

その家の階段を上がろうと思ったりすれば、
鼻先が折れてしまいますよ。　(*bis*)

4. Le facteur y est monté,
Pirouette, cacahouète,
Le facteur y est monté,
Il s'est cassé le bout du nez.　(*bis*)
郵便屋さんがその階段を上がりました、
ピルエット、カカウエット、
郵便屋さんがその階段を上がりました、
郵便屋さんは鼻先を折ってしまいました。　(*bis*)

5. On lui a raccommodé,
Pirouette, cacahouète,
On lui a raccommodé,
Avec du joli fil doré.　(*bis*)
郵便屋さんは鼻先を繕ってもらいました、
ピルエット、カカウエット、
郵便屋さんは鼻先を繕ってもらいました、
きれいな金糸で。　(*bis*)

6. Le beau fil s'est cassé,
Pirouette, cacahouète,
Le beau fil s'est cassé,
Le bout du nez s'est envolé.　(*bis*)
そのきれいな金糸が切れてしまいました、
ピルエット、カカウエット、

そのきれいな金糸が切れてしまいました、
するとと郵便屋さんの鼻先が飛んで行きました。 (*bis*)

7. Un avion à réaction,
Pirouette, cacahouète,
Un avion à réaction,
A rattrapé le bout du nez. (*bis*)
ジェット機が、
ピルエット、カカウエット、
ジェット機が、
その鼻先に追いつきました。 (*bis*)

8. Mon histoire est terminée,
Pirouette, cacahouète,
Mon histoire est terminée,
Messieurs, Mesdames, applaudissez ! (*bis*)
わたしの話はこれでおしまい、
ピルエット、カカウエット、
わたしの話はこれでおしまい、
皆さま、拍手ご喝采を！ (*bis*)

〔資料⑧〕

作詞作曲年代不詳。フランスに古くからある一連の Il était un petit homme（小さな男がいましたとさ）で始まるシャンソンのひとつだろうと思われるが、歌詞 7 番に un avion à réaction（ジェット機）がでてくるので、この個所は、明らかに 20 世紀にはいってから書き加えられたものだとわかる。

奇想天外な内容で、空に舞い上がり飛んで行った郵便屋さんのちぎれた鼻先は、ジェット機に追いつかれ捉えられて、ちゃんと郵便屋さんの顔の元の位置に戻ってくる。

この歌で、何度も繰り返される Pirouette, cacahouète（ピルエット、カカウエット）の２単語には、本来、それぞれに意味がある。pirouette は舞踏用語で「片足（つま先）旋回」のことだし、cacahouète は「南京豆、ピーナッツ」のことだ。それゆえだろう、ある YouTube の動画のひとつでは、主人公の髭おじさんが、Pirouette, cacahouète のところにくると、毎回ご丁寧にも、片足のつま先でくるくる回って見せているし、ロラン・サバティエ編のイラストでは、主人公のチョビ髭おじさんがピーナッツの皮を衣服がわりに着たりしている〔資料⑧〕。両説とも、Pirouette, cacahouète に、あえて歌詞の文脈とは無関係な意味づけをしようと腐心しているが、小さな子どもは、かえって困惑するだろう。そんなむつかしい単語の意味を、多分、知らないだろうし。

子どもが反応するのは、単純な音の響きだ。響きが面白くなければ、子どもの心は弾まない。そして、子どもが喜ぶ最大のネタは、まさに万国共通、「うんこ、しっこ」と決まっている。小さな子どもが集まると、ひとりがいえば、あちこちで、「pipi（しっこ）、caca（うんち）」、――「ピピ、カカ」、――の合唱になるだろう。

その caca、なんと <u>caca</u>houète の語頭にちゃんとある。pipi のほうは pirouette で pi が１個不足だが、Pirouette, cacahouète を、歌詞１番、歌詞２番……と繰り返しうたっているうちに、語頭の pi が、cacahouète の語頭の２音節 caca に敏感に呼応し、おのずと２音節 pipi が幻聴のように聞こえてきはしまいか、Pi-pirouette, cacahouète「ピピルエット、カカウエット」と。

ああ、なんて幸せなんだ、「ピピ、カカ」の世界は！　このスカトロジー（糞尿譚）には、貧富の差も、身分の差も、美醜の差も、能力の差もない。生まれも育ちも関係なく、みな平等なのだ。子どもたちは公然と「ピピ、カカ」と叫び、顔じゅうを口にして笑い、大人たちから「エライね、よくいえたね」と褒めてもらえる、幼年時代のみの特権なのだ。

とすると、「ピーナッツ」cacahouète は、「うんち」caca の仮の姿ということになる？　この逆転現象は、幼児のみが使える魔術の仕業だ。綴り字としては、cacahuète や cacahouette もありだが、語頭の caca は、いつでも燦然（さんぜん）と輝いている。

もっとも、Pirouette, cacahouète の意味や音にこだわらなくても、語尾で「…エット、…エット」と韻を踏む、その音感を素直に楽しむだけでも、いい。

動詞の使い方としてユニークなのは、歌詞５番１行目の raccommoder。通常は服を繕う、壊れたおもちゃなどを修繕する、という意味で使われるが、ここでは郵便屋さんが折れた鼻先を金糸で縫ってもらうというのだから、まるで人形の鼻を糸で繕うかのようなイメージだ。

また、Messieurs, Mesdames の呼びかけは、Mesdames et Messieurs と女性を先にするのがふつうだが、ときに Messieurs, Dames のように男性を先にいう場合もある。

この作品については、1953 年当時に、アランソン（Alençon）

の小学校教師をしていたガブリエル・グランディエール（Gabrielle Grandière,1920-2020）が、自作だと主張していたそうだ。但し、歌詞6－7番はグランディエール版にはなく、歌詞8番の最終詩行もMessieurs, Mesdames, applaudissez！ではなく、Je vais vous la recommencer（もう一度最初から始めましょう）だったという。残念ながら、客観的確証が得られないうちに、本人が亡くなってしまった由。

1982年にはドロテ（Dorothée,1953-）が、1997年にはシルヴィ・ヴァルタン（Sylvie Vartan,1944-）が、自分たちが手を入れたヴァージョンで録音している。

〔資料II-7〕

26. *Jean de la Lune*
月のジャン

1. Par une tiède nuit de printemps,
Il y a bien de cela cent ans,
Que sous un brin de persil, sans bruit,
Tout menu, naquit
Jean de la Lune, Jean de la Lune.
春のある暖かくて心地よい夜に、
いまからちょうど100年前のこと、
パセリの茎の下で、音もたてずに、
ほんとに小さな体で、生まれた
月のジャン、月のジャンは。

2. Il était gros comme un champignon,
Frêle, délicat, petit, mignon,
Et jaune et vert comme un perroquet,
Avait un bon caquet,
Jean de la Lune, Jean de la Lune.
ジャンはキノコのように丸々としていた、
華奢（きゃしゃ）で、繊細で、小さくて、可愛かった、
そしてオウムのように黄色と緑色で、
とてもおしゃべりだった、
月のジャン、月のジャンは。

3. Pour canne, il avait un cure-dent,
Clignait de l'œil, marchait en boitant,

Et demeurait en toute saison
Dans un potiron,
Jean de la Lune ! Jean de la Lune !

杖がわりの爪楊枝をもち、
ウインクしつつ、足を引きずりながら歩き、
そして四季を通して住んでいた
西洋カボチャのなかに、
月のジャン！　月のジャンは！

4. On le voyait passer quelquefois,
Dans un coupé grand comme une noix,
Et que le long de sentiers fleuris
Traînaient deux souris,
Jean de la Lune ! Jean de la Lune !

ときどきジャンが通り過ぎていくのを見たものだ、
クルミの実ほどの大きさの箱馬車にのって、
そして花咲く野山の小道沿いに
２匹のハツカネズミがその箱馬車を引いていくのを、
月のジャン！　月のジャンの乗った！

5. Quand il se risquait à travers bois,
De loin, de près, de tous les endroits,
Merles, bouvreuils sur leurs mirlitons
Répétaient en rond :
« Jean de la Lune ! Jean de la Lune ! »

ジャンが危険をかえりみず森を横切ろうとするとき、
遠くや、近くの、あらゆるところから、

ツグミやウソが、葦笛を吹きながら
輪になってこう繰り返す、
「月のジャン！　月のジャン！」と。

6. Si, par hasard, s'offrait un ruisseau
Qui l'arrêtait sur place, aussitôt,
Trop petit pour le franchir d'un bond,
Faisait d'herbe un pont,
Jean de la Lune ! Jean de la Lune !
たまたま小川が現れ
その場で足止めされた場合、すぐさま、
ひと跳びで越えるには、あまりに小さくて、
草の橋を作ったものだ、
月のジャン！　月のジャンは！

7. Quand il mourut, chacun le pleura,
Dans son potiron on l'enterra;
Et sur sa tombe l'on écrivit
Sur la croix : «Ci-gît
Jean de la Lune, Jean de la Lune.»
ジャンが死んだとき、みながジャンを悼んだ、
西洋カボチャのなかに、ジャンは埋葬された。
そしてこう記された、墓の上の
十字架の上に：「ここに永眠す
月のジャン、月のジャンが」

〔資料⑬〕

マルティーヌ・ダヴィッドとアンヌ＝マリ・デルリューによれば、作詞はアドリアン・パジェス（Adrien Pagès）で、1889年に、フランスの教育学者クロード・オージェ（Claude Augé, 1854-1924）の有名な月刊ソルフェージュ教本『音楽の本』〔ラルース刊〕に発表されたという。

また、曲のほうは、ある「ロンド」からの借用だが、このロンド自体がある軍歌を編曲したものだそうだ。オーギュスト・ズュルフリュク（Auguste Zurfluch）が、1932年に、『アドリアン・パジェスのアルバム』に、この歌「月のジャン」を再録した際の指摘だけど。〔Cf. Martine David, Anne-Marie Delrieu, *Refrains d'enfance, Histoire de 60 chansons populaires,* Herscher, 1988.〕

アンヌ・ブアンは、この物語歌（chanson-conte）の登場人物の小型化というおとぎ話に似た手法は、アイルランドの風刺作家ジョナサン・スウィフト（Jonathan Swift,1667-1745）の『ガリヴァー旅行記』（*Gulliver's Travels*）のようだと、注を付している。「小人の国」のことだろう。〔資料⑨〕

それにしても、「月のジャン」は、死後、どこに帰っていくのだろう。ふと、日本の昔話「かぐや姫」を連想した。

いや、むしろ、potiron「かぼちゃ」、coupé「２人乗りの箱馬車」、souris「ハツカネズミ」という３つの単語が想起させるのは、シャルル・ペロー（Charles Perrault,1628-1703）の童話『シンデレラ』（*Cendrillon*）の、――仙女が魔法の棒のひと振りでカボチャを箱馬車に変え、ネズミにひかせた、――あの挿話のほうだろう。伝承、説話にしばしば見られる、物語の類縁性だ。

＊

ところで、伝承歌謡の主人公には、おうおうにして実在の人物の名前や行動が源泉とされるものがある。しかしながら、実際には、実像とはまったくかけ離れた人物像が作りあげられているのが、ほとんどだ。

この歌の主人公ジャン・ドゥ・ラ・リュヌにも、モデルがいるという。本名は、ジャン・カストゥネ（Jean Castenet)。もちろん、小人ではない。いまも、アルデーシュ県（フランス南東部中央山地南東麓に位置し、ローヌ川が東の県境で、県庁所在地はプリヴァ）では、非常に人気のある伝説的人物だそうだ。青年期に達するまでは、「間抜け、うすのろ」(l'idiot du village) と見なされていたが、18世紀に反革命のヒーローとなった由。〔Cf. *Chansons de France*, Volume 2, Gallimard Jeunesse Musique, 2003〕

ただ、この説明だけでは、ジャン・カストゥネが、ジャン・ドゥ・ラ・リュヌに変身した理由は、わからない。

そういえば、フランス語で être bête [con] comme la lune（月のようなバカだ）といえば、「大ばか者である」〔プチ・ロワイヤル仏和辞典（旺文社)〕を意味する熟語だ。「月のような」が「バカ」を強調しているのだ。多分、「月」のコノテーション（含意）が、「移り気、気まぐれ、空想、夢想、うわの空」であることに由来しているのだろう。

そして、我がジャン・カストゥネは、青年期まで確かに「間抜け」だった。「間抜け」なら、「月のような」(comme la lune) と「月」にたとえても、おかしくはない。綽名（あだな）のジャン・ドゥ・ラ・リュヌ（月のジャン）は、こうして生まれたのかもしれないが、あくまでも推測だ。

とはいえ、歌の主人公ジャン・ドゥ・ラ・リュヌは、ジャン・カストゥネと少しも似ていない。間抜けでもうすのろでもない。それどころか情感豊かな小人だ。生まれてから死ぬまでの生涯が、夢幻的な世界に包摂され、聴くものすべてのひとの心を癒してくれる。

〔資料⑨〕

27. *Ma Normandie*

私のノルマンディ

1. Quand tout renaît à l'espérance
Et que l'hiver fuit loin de nous
Sous le beau ciel de notre France
Quand le soleil revient plus doux
Quand la nature est reverdie
Quand l'hirondelle est de retour
J'aime à revoir ma Normandie
C'est le pays qui m'a donné le jour.

すべてが希望に満ちて生まれ変わり
冬が私たちから遠く逃げ去るとき
私たちのフランスの美しい空のもとで
太陽がまた暖かさをとりもどし
自然がふたたび緑におおわれ
ツバメがまた戻ってくるとき
私はノルマンディをまた見たくなる
ノルマンディは私の生まれ故郷なのだ。

2. J'ai vu les champs de l'Helvétie
Et ses chalets et ses glaciers.
J'ai vu le ciel de l'Italie
Et Venise et ses gondoliers.
En saluant chaque patrie
Je me disais: aucun séjour
N'est plus beau que ma Normandie

C'est le pays qui m'a donné le jour.

私はエルヴェシアの野を見た
その山小屋もその氷河も。
私はイタリアの空を見た
ヴェニスもゴンドラの船頭たちも。
それぞれの国に敬意を表しながらも
私は思った、どの滞在地も
私のノルマンディほど美しくはないと
ノルマンディは、私の生まれ故郷なのだ。

3. Il est un âge dans la vie
Où chaque rêve doit finir.
Un âge où l'âme recueillie
A besoin de se souvenir.
Lorsque ma muse refroidie
Aura fini ses chants d'amour
J'irai revoir ma Normandie
C'est le pays qui m'a donné le jour.

だれしも、生涯の最後には待っている
それぞれの夢が終わりを告げる齢というものが。
物思いにふける魂が諦観のうちに
思い出にひたらなければならない齢が。
私の詩神が冷淡になり
愛の歌をやめてしまったとき
私は私のノルマンディを再訪するだろう
ノルマンディは、私の生まれ故郷なのだ。

〔資料②〕

このノルマンディ賛歌は、ノルマンディ地方ルーアン生まれで、パリで活躍した音楽家フレデリック・ベラ（Frédéric Bérat,1801-55）の作詞作曲だ。旋律と歌詞は、1836年夏の晴れ渡った日に、セーヌ川をルーアン（Rouen）からル・アーヴル（Le Havre）まで下る蒸気船上で浮かんだものだという〔資料②〕。もっとも、船旅のコースに関しては、逆に、ル・アーヴル西郊外のコミューヌ、サン=タドレス（Sainte-Adresse）からルーアンに向けてセーヌを遡上する途中だったとする説もあり〔資料⑲〕、手持ちの資料ではどちらとも判定できない。ジャン=クロード・クランは、「セーヌ川を蒸気船で船旅していた際のルーアンとル・アーヴル間で」と、曖昧な記述をしている。

なお、歌詞2番のHelvétieは、古代ガリア東部の一地方名で、ほぼ現在のスイスにあたる。

ベラが作ったこのロマンスはパリで印刷され、幾度か再版されるほどすぐさま大きな反響を得た。女流作曲家の草分け的存在で、偉大なロマンスの作曲者でもあったロイザ・ピュジェ（Loïsa Puget, 1810-89）は、この歌をレパートリーに加え、パリのサロンで披露したという〔資料③〕。そのロイザの甘美な歌声が、この歌の流行に一役買ったことは間違いないだろう〔資料②〕。

ゆったりとして、哀調を帯び、おのずと懐旧の情へ誘うベラのメロディは、パリっ子たちの心を捉え、たちまちのうちに首都パリから全国に広まった。当のノルマンディ人たちが認めるより先に、他地方で共感を得た。

結果、「ノルマンディ」という地名は、ノルマンディに限らず、「我らが故郷」の代名詞となり、フランス人全般に、〈「大きな祖国」(grande patrie) ＝「フランス」(France)〉への愛と、〈「小さな祖国」(petite patrie) =「故郷」(pays)〉への愛を橋渡しする役割を果たすにいたった。音楽がたっぷりと放つ感傷性が、故郷を遠く離れて暮らす移住者や移民たちの望郷の念を誘ったからである。「私たちのフランス」(notre France) に対してと同時に、「私たちの故郷」(notre pays) に対しても。

いつしか、古くからのノルマンディ民謡だと誤解されるようになり、ノルマンディの「非公式賛歌」(l'hymne officieux) にされた。ノルマンディ地方以外のノルマン語圏でも人気を博し、たとえば、英語とフランス語の共用ながら、日常生活では住民の大多数がフランス語系ノルマン語を話す「英王室属領ジャージー代官管轄区」(Bailliage de Jersey) では、ノルマン語訳の「私のノルマンディ」が地域の「国歌」(l'hymne national) になった。

だが、2008年に、そのジャージーで新しい「国賛歌」を公募することになり、伝統的なジャージー語の歌「私の美しい小さなジャージー」*Man Bieau P'tit Jèrri*、——英語版タイトル *Beautiful Jersey*、——が候補にあがったが、結局、ジェラール・ル・フゥーヴル (Gérard Le Feuvre,1962-) の新しいシャンソン「我らが故郷の島」(英語で *Island Home* /ジャージー語で *Isle de Siez Nous*) が、新国歌に選ばれた。しかし、実際は、住民のそれまでの「国歌」(ノルマン語訳の「私のノルマンディ」) への愛着が強く、変更するかどうかが決着していないとのことだが〔資料⑲〕、現在の状況はどうなのだろう。

*

ふと、この名曲とは正反対の感情を吐露した詩を思いだした。室生犀星だが、心に突き刺さる。

ふるさとは遠きにありて思ふもの
そして悲しくうたふもの
よしや
うらぶれて異土（いど）の乞食（かたい）となるとても
帰るところにあるまじや

〔「小景異情（その二）」『抒情小曲集』所収、大正6年9月〕

いうまでもなく、「異土（いど）」は故郷以外の地、異郷のこと。「乞食（かたい）」は雅語で、乞食（こじき）に同じだ。

〔資料⑦〕

28. *Margoton va-t-à l'iau*
マルゴトンは水汲みに行く

1. Margoton va-t-à l'iau avecque son cruchon, (*bis*)
La fontaine était creuse, elle est tombée au fond.
« Aïe ! aïe ! aïe ! aïe ! » se dit Margoton.
マルゴトンは小さな壺を手に水汲みに行く、(*bis*)
水汲み場は窪んでいて、マルゴトンは深みに落ちた。
「痛い！痛い！痛い！痛い！」とマルゴトンは独りごちた。
〔注〕à l'iau は、à l'eau のこと。avecque は、avec の古形。

2. La fontaine était creuse, elle est tombée au fond. (*bis*)
Par là passèrent trois jeunes et beaux garçons.
« Aïe ! aïe ! aïe ! aïe ! » se dit Margoton.
水汲み場は窪んでいて、マルゴトンは深みに落ちた。(*bis*)
そこへ３人のハンサムな青年が通りかかった。
「痛い！痛い！痛い！痛い！」とマルゴトンは独りごちた。

3. Par là passèrent trois jeunes et beaux garçons, (*bis*)
Que donn'rez-vous, la bell', nous vous retirerons ?
« Aïe ! aïe ! aïe ! aïe ! » se dit Margoton.
そこへ３人のハンサムな青年が通りかかった、(*bis*)
綺麗な娘さん、あんたはなにをくれるかね、
おれたちがあんたを引きあげたら？
「痛い！痛い！痛い！痛い！」とマルゴトンは独りごちた。

4. Que donn'rez-vous, la bell', nous vous retirerons ? (*bis*)

Un doux baiser vous donne en guise d'un doublon.
« Aïe ! aïe ! aïe ! aïe ! » se dit Margoton.

綺麗な娘さん、あんたはなにをくれるかね、
おれたちがあんたを引きあげたら？
甘いキスをひとつあげるわ、ダブロン金貨1枚のかわりに。
「痛い！痛い！痛い！痛い！」とマルゴトンは独りごちた。

〔注〕un doublon「ダブロン金貨」は、スペインおよびスペイン語圏の昔の金貨〔小学館ロベール仏和大辞典〕。

〔資料⑨〕

ヴァリアントは各種あるが、バラール Ballard が 1711 年に出版した『褐色の髪の娘と優しい小曲』*Brunettes et petits airs tendres* 所収の不詳の作詞作曲がもとになっている。ここに挙げたアンヌ・ブアン版は、いかにも子どもを意識した歌詞で、助けてもらう交換条件が「甘いキス」だ。しかし、それはあまりにも無邪気ではないか、というより、未知の男相手に無防備すぎると、人生を知る大人はふと心配になる。

そこで、元歌だ。マルティーヌ・ダヴィッドとアンヌ＝マリ・デルリューが紹介している〔資料②〕。

Margoton va-t-à l'eau
Avecque son cruchon.
La fontaine était creuse
Elle est tombée au fond.

マルゴトンは水汲みに行く
小さな壺をもって。
水汲み場は窪んでいて

マルゴトンは深みに落ちた。

[Refrain]
Aïe, aïe, aïe, aïe,
Se dit Margoton.
［ルフラン］
痛い、痛い、痛い、痛い、
マルゴトンは独りごちた。

Par là ils y passèrent
Trois jeunes beaux garçons.
«Que donnez-vous, la Belle
Nous vous retirerons.
そこに通りかかったのは
３人のハンサムな青年。
「綺麗な娘さん、あんたはなにをくれるかね、
おれたちがあんたを引きあげたら？」

—J'ai dedans ma pochette
Quelques demi-testons (petites pièces de monnaie).
– Ce n'est pas là, la belle,
Ce que nous vous voulons.»
「あたし胸ポケットにあるわ
５スー銀貨が数枚」(数枚の小銭)
「綺麗な娘さん、そこにはないよ、
俺たちの欲しいものは」
〔注〕teston は「国王の肖像が刻まれた16世紀フランスの銀貨」

〔小学館ロベール仏和大辞典〕。

La prirent, la menèrent
Dessus le vert gazon
Et puis ils lui apprirent
Tois fois la chanson.

３人の青年は、娘を抱き上げ、連れて行った
緑の芝生の上に
それから娘に教えた
歌を３回。

マルティーヌ・ダヴィッドとアンヌ＝マリ・デルリューは、この歌の「最後の淫らな仄めかしは、18 世紀の牧歌 bergerie 風の卑猥さだ」と指摘しているが、末尾２行「それから娘に教えた／歌を３回」（Et puis ils lui apprirent ／ Tois fois la chanson.）のいったいどこに問題が潜んでいるというのか？

その解決に、ひょっとすると、アルフレッド・デルヴォー著『現代エロティック辞典』（Alfred Delvau, *Dictionnaire Érotique Moderne*, Slatkine Reprints, Genève, 1968）の〈chanter l'introït〉の説明が役立つかもしれない。本来は「入祭文（ミサの初めの祈り）をうたう」ということだが、比喩的には、いや言外の隠れた意味としては、なんと「女性器に男根を挿入する—性的快感の始まり」Introduire son membre dans le vagin d'une femme, – ce qui est le commencement (introitus) de la jouissance を、暗示する表現だという。introït（入祭文・入祭唱・ミサの導入部の祈り）の語源が、ラテン語の introitus（入口・始まり）だからだ〔Cf. 小学館ロベール仏和大辞典〕。

「ミサの初めの祈りをうたう」＝「性的快感の始まり」からの連想でいえば、「娘に歌を３回教えた」は、３人のハンサムな青年が、娘相手に、それぞれ１回ずつ、合計３回の性行為を行ったことを仄めかしている。娘が水汲み場の深みに落ちて連呼した「痛い、痛い、痛い、痛い」には、生娘の初体験ゆえの苦痛が隠されているということになるだろうか。無邪気な子どもも、長ずるにつれ、娘が遭遇した真実を徐々に理解していくことになるだろう。

この歌には、もうひとつ、重要なキーワードがある。fontaine（水汲み場・泉・噴水）だ。前掲書『現代エロティック辞典』には、この単語の裏の意味は La nature de la femme, où s'abreuve l'humanité ― altérée de jouissance（オーガズムを渇望する人間が、そこでガブ飲みする女性生殖器）のことだとし、さらには femme qui a un écoulement vénérien（「性交で潮を吹く女」→「体液を流す女」）も意味するとある。

とすれば、「水汲み場」自体が、娘の湿潤な女性器の象徴だ。歌中で、娘は水汲み場に落ちる。だから、当然、濡れただろう。「濡れる」というフランス語自動詞 mouiller には、俗語で「強い性的快感を得る、[女性が]（性的に興奮して）ぬれる」の意味がある〔小学館ロベール仏和大辞典〕。

こうして、迂闊（うかつ）にも自分から「水汲み場」に落ちたり、３人のハンサムな青年に「歌」を教えられたりという出来事を重ね合わせると、娘は間違いなく「性的快感」を得ただろう。娘にとって、これは悲劇だったのか、幸運だったのか。

マルタン・ペネは、この歌を「学生歌」chansons d'étudiants

の範疇に分類している〔資料⑬〕。だが、酒席で、この春歌を放歌高吟したのは、学生たちばかりではなかろう。市井にあって、民衆たちとて同様だったと思われる。飲むほどに、楽しく、意気はあがる。若い娘には、いや女性一般には申し訳ないが、人生には生真面目な倫理学（エティック）より、艶めかしい審美学（エステティック）が必要な場面がある。下ネタ大好き、官能（エロティック）万歳の我が民衆よ、大いに健全なる下品さを楽しもうではないか。

ところで、この歌の壺を手にして水汲みに行く娘の姿から、すぐにもアングル（Jean-Auguste-Dominique Ingres,1780-1867）の代表作「泉」（*La source*）を連想した。画面中央に、泉の擬人像としての裸婦が描かれ、その左肩にのせた水瓶からは、たっぷりと水が流れ落ちている構図だ。ひょっとすると、娘の小さな壺・アングルの水瓶もまた、女性器を暗示するものかもしれない。それは穿（うが）ちすぎ？　……いや、そうでもないだろう。そこが、「生＝性」の醍醐味だ。この蠱惑（こわく）的な「歌」の凄さだ。

〔資料⑨〕

29. *Mon âne a bien mal à la tête*
私のロバは頭をとても痛がっている

1. Mon âne, mon âne
A bien mal à la tête;
Madame lui fait faire
Un bonnet pour sa fête.
Un bonnet pour sa fête,
Et des souliers lilas la la,
Et des souliers lilas.

私のロバは、私のロバは
頭をとても痛がっている。
奥さんがロバのために作らせた、
ロバのお祭り用の縁なし帽を。
ロバのお祭り用の縁なし帽を、
そして藤色の短靴を、ララ、
そして藤色の短靴を。

2. Mon âne, mon âne
A bien mal aux oreilles;
Madame lui fait faire
Un' pair' de boucl's d'oreille.
Un' pair' de boucl's d'oreille,
Un bonnet pour sa fête,
Et des souliers lilas la la,
Et des souliers lilas.

私のロバは、私のロバは

耳をとても痛がっている。
奥さんがロバのために作らせた、
一対のイヤリングを。
一対のイヤリングを、
ロバのお祭り用の縁なし帽を、
そして藤色の短靴を、ララ、
そして藤色の短靴を。

3. Mon âne, mon âne
A bien mal à ses yeux;
Madame lui fait faire
Un' pair' de lunett's bleues.
Un' pair' de lunett's bleues,
Un' pair' de boucl's d'oreille,
Un bonnet pour sa fête,
Et des souliers lilas la la,
Et des souliers lilas.

私のロバは、私のロバは
目をとても痛がっている。
奥さんがロバのために作らせた、
一対の青いメガネを。
一対の青いメガネを、
一対のイヤリングを、
ロバのお祭り用の縁なし帽を、
そして藤色の短靴を、ララ、
そして藤色の短靴を。

4. Mon âne, mon âne
A bien mal à son nez;
Madame lui fait faire
Un joli cache-nez.
Un joli cache-nez,
Un' pair' de lunett's bleues,
Un' pair' de boucl's d'oreille,
Un bonnet pour sa fête,
Et des souliers lilas la la,
Et des souliers lilas.

私のロバは、私のロバは
鼻をとても痛がっている。
奥さんがロバのために作らせた、
鼻まで覆える可愛いマフラーを。
鼻まで覆える可愛いマフラーを、
一対の青いメガネを、
一対のイヤリングを、
ロバのお祭り用の縁なし帽を、
そして藤色の短靴を、ララ、
そして藤色の短靴を。

5. Mon âne, mon âne
A mal à l'estomac;
Madame lui fait faire
Une tass' de chocolat.
Une tass' de chocolat,
Un joli cache-nez,

Un' pair' de lunett's bleues,
Un' pair' de boucl's d'oreille,
Un bonnet pour sa fête,
Et des souliers lilas la la,
Et des souliers lilas.

私のロバは、私のロバは
胃をとても痛がっている。
奥さんがロバのために作らせた、
コップ1杯のココアを。
コップ1杯のココアを、
鼻まで覆える可愛いマフラーを、
一対の青いメガネを、
一対のイヤリングを、
ロバのお祭り用の縁なし帽を、
そして藤色の短靴を、ララ、
そして藤色の短靴を。

Et des souliers lilas la la, et des souliers lilas. (*ter*)
そして藤色の短靴を、ララ、そして藤色の短靴を。(*ter*)

〔資料II-5、⑨ ⑪を参照〕

主人公の âne は雄ロバ。雌は ânesse で、ロバの子は ânon。「ロバは強情・頑固・愚鈍のシンボルで、フランス人には身近でありながらマイナスのイメージ」が強い〔プチ・ロワイヤル仏和辞典(旺文社)〕。être têtu comme un âne といえば、「ロバのように強情である」の意だ。

この歌は、直前の歌詞の主要なセンテンスが、単純に下から順に上に積み上げられていく構造なので、日本語では「積み上げ歌」と訳されているが、視覚的にも納得できる〔本書10番、P.78参照〕。本書の10番、20番、29番が同種の構造の歌だ。

歌詞1番で、Madame lui fait faire un bonnet pour sa fête（奥さんがロバのお祭り用の縁なし帽をロバのために作らせた）がMadame lui fait faire un bonnet pour sa tête（奥さんがロバの頭用の縁なし帽をロバのために作らせた）に、また、形容詞lilas（リラの花の色をした、ピンクがかった薄紫色の、藤色の）がverni(s)（エナメルの）になっているヴァージョンもある〔資料⑨〕。

歌詞4番のcache-nezは、「(冬期、防寒用に鼻まで覆える）マフラー、襟巻」のこと。

また、歌詞3番のあとに、次の歌詞がはいる場合もある〔資料⑲〕。

Mon âne, mon âne
A bien mal à ses dents.
Madame lui a fait faire
Un râtelier d'argent.

あたしのロバは、あたしのロバは
歯をひどく痛がっている。
奥さんがロバのために作らせた
銀の入れ歯を。

この歌は、子どもたちが、家で、教室で、サマーキャンプ（林間学校、臨海学校）で、ロバの体の各部分や、ロバが次々と身に着けていく小物類の真似をしながらうたう「物まね歌」(chanson à mimer）だ。そうすることで、単語もいっしょに覚えていくのだ。

＊

ところで、「ロバ」（âne）と「お祭り」（fête）の組み合わせから、すぐさま中世の教会の諸行事を模した滑稽な祭り「ロバ祭＝馬鹿祭（fête des ânes）」「阿呆祭（fête des fous）」を連想するひともいるだろう。このシャンソンとの関連は不明だが、『19世紀ラルース』〔資料⑱〕の記述も参考にしたうえで、ここでは、岩瀬孝・佐藤実枝・伊藤洋共著『［新装版］フランス演劇史概説』〔早稲田大学出版部、1999年〕から、関連部分のみ引用しておこう。

> ［ロバ祭（＝馬鹿祭）は］、ローマのサチュルヌス祭を受けついだ祭で、12月末から聖霊降臨節［復活祭の日を第1日とし、その50日後の移動祝日］にかけて行われた。教会で庶民の1人を「馬鹿法王」に選び、肩車に乗せて自宅へ連れもどし、台に祭り上げ礼拝し供物をし、酔った「法王」が歌いだすと、会衆も呼応して疲れ切るまでばか騒ぎをする。それから行列を組んで町へでて騒ぎながら教会へのりこみ、身ぶりまじりで卑猥な歌をうたう。法王がふざけたミサを行うあいだ、助祭たちは香のかわりに革を焼き、その悪臭のなか、祭壇の下で腸詰を食べ博打（ばくち）をうつ。ミサのあと、彼らは飛んだり跳ねたりしてからまた町へでかけ、汚物をつんだ荷車に乗ってねり歩き、人びとに嘲罵や淫らな言葉を投げる。馬鹿法王は4人の男のかつぐ台に乗り、ふざけた身ぶりで観衆を笑わせ、ご苦労賃にチーズをもらう。祭は普通3日続き、水のかけ合いで終わる。馬鹿祭は742年のローマ公会議で禁じられたが、17世紀ごろまで続いた。このほかに聖歌隊の少年が行う罪なき嬰児の祭、聖

職者たちが預言者に扮して行列し教会までねり歩く驢馬（ろば）祭などがあった。〔同書1-2頁、［　］内は筆者補足。一部、漢数字をアラビア数字に、漢字を平仮名にした。〕

なお、上記引用文中の「サチュルヌス祭」は、サートゥルナーリア祭とも表記し、農耕神サートゥルヌス（サチュルヌス）を祝う古代ローマの祭で、主人と奴隷が役割を入れ替わって振る舞い、馬鹿騒ぎするのが特徴だったという。期間は、12月17日から12月23日まで。

*

閑話休題：アルチュール・ランボー（Arthur Rimbaud,1854-91）の後期韻文詩のなかに *Fêtes de la faim*（飢餓祭）なる詩編があるが、その冒頭は次のような詩句で始まっている。

Ma faim, Anne, Anne,
Fuis sur ton âne.

僕の飢餓よ、アーヌ、アーヌ、
おまえのロバに乗って逃げていけ。

この時期のランボーは、俗謡から着想を得て、伝統的な正規の詩句から逸脱するような詩を作っていたので、この引用の２行もシャンソン *Mon âne a bien mal à la tête*（私のロバは頭をとても痛がっている）からインスピレーションを得たのかもしれない。楽しい推測だ。

30. *Mon beau sapin*

私の美しいモミの木

1. Mon beau sapin, roi des forêts,
Que j'aime ta verdure !
Quand par l'hiver bois et guérets
Sont dépouillés de leurs attraits,
Mon beau sapin, roi des forêts,
Tu gardes ta parure.

私の美しいモミの木よ、森の王さまよ、
あなたの緑の葉を、私がどれほど愛しているか！
冬になり、森や畑が
その魅力をはぎ取られるときも、
私の美しいモミの木よ、森の王さまよ、
あなたはあなたの衣裳を身につけたまま。

2. Toi que Noël planta chez nous,
Au saint anniversaire !
Joli sapin, comme ils sont doux
Et tes bonbons et tes joujoux !
Toi que Noël planta chez nous
Par les mains de ma mère.

あなたは我が家に植えられた、クリスマスに、
聖なる誕生日に！
きれいなモミの木よ、なんと心和むことでしょう、
あなたに飾られたキャンディーとおもちゃは！
あなたは我が家に植えられた、クリスマスに、

私の母の手で。

3. Mon beau sapin, tes verts sommets,
Et leur fidèle ombrage,
De la foi qui ne ment jamais,
De la constance et de la paix,
Mon beau sapin, tes verts sommets,
M'offrent la douce image.

私の美しいモミの木よ、あなたの緑の梢よ、
そして変わることのない緑陰よ、
けっして偽らない信仰、
揺るがぬ信念と平安、
私の美しいモミの木よ、あなたの緑の梢が、
私にその穏やかなイメージを与えてくれる。

〔資料⑲、Cf. 資料⑧〕

ロラン・サバティエ編は、歌詞2番末尾 Par les mains de ma mère（私の母の手で）が、Tout brillant de lumière（照明にキラキラ輝いている）となっていて、この1行だけが異なっている〔資料⑧〕。

マルタン・ペネ版では、やはり歌詞2番の詩行3‒6に違いがみられる〔資料⑬〕。

Toi que Noël planta chez nous,
Au saint anniversaire,
Mon beau sapin, comme il est doux
De te voir briller parmi nous,

Toi que Noël planta chez nous
Scintillant de lumière.

あなたは我が家に植えられた、クリスマスに、
聖なる誕生日に、
私の美しいモミの木よ、なんて心地いいのだろう
私たちのあいだで、あなたが輝いているのを見るのは、
あなたは我が家に植えられた、クリスマスに、
飾りの照明にきらめきながら。

この有名な歌は、元々はドイツ起源のクリスマス・キャロルだ。ドイツ語タイトルは *O Tannenbaum*（おお　モミの木）で、ロラン・サバティエ編によれば、15世紀にまでさかのぼることができるという。現在、もっともよく知られているドイツ語歌詞は、ロラン・サバティエ編が紹介している *O Tannenbaum* で、ヨアヒム・アウグスト・ツァルナック（Joachim August Zarnack,1777-1827）が、1820年に作詞したものだ。歌詞４番まであり、曲は古来の伝統的な旋律をそのまま使用している。〔資料⑧〕ついで、1824年にプロイセン王国ライプツィヒの教師兼オルガン奏者エルンスト・ゲプハルト（Ernst Gebhard, 1780-1861）が作詞した同曲は、歌詞３番までだ〔資料⑲〕。

このゲプハルト作詞 *O Tannenbaum* を、1856年にストラスブール・アカデミー学長ローラン・デルカッソ（Laurent Delcasso,1797-1887) が、自由にフランス語に翻案し、「モミの木」*Le Sapin* と題して発表した。うたう際には、当時、ストラスブールの師範学校補佐教員（maître adjoint）だったピエール・グロ（Pierre Gros,1823-67）が２声に編曲した旋律を使ったという。現在、流布しているフランス語版「私の美しいモミの木」*Mon beau sapin* は、このデルカッソ作詞版を底本に、多少、改変したものだ。

なお、歌詞1番の guérets は、現在は「(まだ種をまいていない)耕作地・休閑地」をさすが、古語・詩語としては「耕された畑・収穫物が実っている畑」というまったく逆の意味を有していた〔小学館ロベール仏和大辞典〕。ここでは、便宜上「畑」と訳した。

また、1人称の性別だが、フランス語歌詞では文法的にどちらかに決めることはできない。ただ、フランス文学者の石澤小枝子氏は、『フランスの歌いつがれる子ども歌』〔大阪大学出版会、174頁〕のなかで、この歌について、「幼い女の子が、家に飾られたクリスマスツリーをほめたたえる内容になっている」と記されているので、「私」は女性と認識しておられるようだ。

〔資料Ⅱ-7〕

31. *Passe, passera (La p'tite hirondelle)*
通り過ぎる、通り過ぎるだろう（小さなツバメ）

Passe, passe, passera
La dernière, la dernière,
Passe, passe, passera
La dernière restera.
Qu'est-ce qu'elle a donc fait
La p'tite hirondelle ?
Elle nous a volé
Trois p'tits grains de blé.
On l'attrapera
La p'tite hirondelle,
Nous lui donnerons
Trois p'tits coups d'bâton.

通り過ぎる、通り過ぎる、通り過ぎるだろう
最後の１羽は、最後の１羽は、
通り過ぎる、通り過ぎる、通り過ぎるだろう
けど、最後の１羽は残るだろう。
いったいなにをしたんだ
その小さなツバメは？
その小さなツバメはわたしたちから盗んだのだ
小さな小麦３粒を。
捕まえられるだろう
その小さなツバメは、
わたしたちに打(ぶ)たれるだろう
棒きれで軽く３発。

〔資料⑨〕

ふたりの子どもが向きあって両手をつなぎ、両腕で橋を作る。ほかの子どもたちは、輪になってファランドールを踊りながら、その橋の下をくぐりぬける。「最後の1羽は残るだろう」の「残るだろう」(restera) がうたわれた瞬間に、さっと両腕がおろされ、だれかひとりが捕らえられる。橋を作っていたふたりの子どもは、捕まえた子の耳元で囁くように尋ねる、——たとえば「黒、それとも白？」と。この場合、黒とか白とかは、橋を作っている最初のふたりが、それぞれにあらかじめ決めておいたことばで、捕らえられた子の返答次第で、白と答えれば白の子の後ろに移動して並び、黒と答えれば黒の子の後ろに移動して並ぶ。このようにして、競い合う2列が作られるまで続けられる。〔Cf. 資料⑨〕

もちろんあらかじめ決めておくことばは、なんだっていい、「リンゴとバナナ」であっても。

作詞作曲年代不詳。ただ、ルイ16世 (Louis XVI,1754-93) の時代にできた伝承シャンソンだという説もある〔資料⑲〕。

形式的にいえば、本来は、「歌詞」と「ルフラン」(最初の4行がそれに相当) が交互に現れてうたわれるロンドー (rondeau) だが、現在では、子どもたちが輪踊りをしながらうたうコンティーヌとみなされていて、その受けとめ方でいいだろう。

また、歌中の一句 La p'tite hirondelle (小さなツバメ) の「ツバメ」(hirondelle) が、アンシャン・レジーム (Ancien Régime) 期、——フランス革命以前の政治・社会体制の時代、——のフランス軍兵士に付与された名称を思いださせるという。理由は、当時の軍服が、「黒の三角帽、白い裏地付きの群青色の軍服、軍服の袖章、深紅の襟飾り、白の上着に白の半ズボン」で、これが全体として「ツバメ」の羽毛を連想させたからだそうだ。〔資料⑲〕

となると、この短い軽快なシャンソンが、「１羽の小さな鳥」の単純な物語では収まりきれなくなる。飛び去っていく何羽かのツバメは、旧体制下の王の軍隊になぞらえたもので、最後にこっそり居残って「小麦３粒」をくすねた「１羽のツバメ」は、農村にあって掠奪を企てたふとどき者の兵士の象徴ということになる。「その小さなツバメはわたしたちに打(ぶ)たれるだろう／棒きれで軽く３発」は、略奪されたものからの報復・仕返しを軽やかにうたっている。面白い解釈だが、現在の小さな子どもたちが、そこまで考えを及ぼして遊びに興じるとは思えない。

〔資料II-7〕

32. *Le pastouriau*
羊飼いの少年

1. Quand j'étais chez mon père
Apprenti pastouriau,
Il m'a mis dans la lande
Pour garder les troupiaux.
ぼくが父の家にいたころ
羊飼いの見習い少年だったけど、
父はそんなぼくを荒れ地に行かせた
羊の群れの番をするようにと。

[Refrain]
Troupiaux, troupiaux,
Je n'en avais guère.
Troupiaux, troupiaux,
Je n'en avais biaux.
羊の群れ、羊の群れ
ぼくには、ほとんど羊の群れがいなかった。
羊の群れ、羊の群れ
ぼくには、きれいな羊の群れがいなかった。

2. Mais je n'en avais guère,
Je n'avais qu'trois agneaux
Et le loup de la plaine
M'a mangé le plus biau.
しかし、ぼくにはほとんど羊の群れがいなかった、

いたのは、小羊が３匹だけだった
そして平原のオオカミが
ぼくのいちばんきれいな小羊を食べた。

3. Il était si vorace
N’a laissé que la piau,
N’a laissé que la queue
Pour mettre à mon chapiau.
オオカミはとても大食いだったので
小羊の皮しか残さなかった、
シッポしか残さなかった、
それでぼくは小羊の皮とシッポを帽子に被せた。

4. Mais des os de la bête,
Me fis un chalumiau,
Pour jouer à la fête,
A la fêt’ du hamiau.
でも子羊の骨から、
ぼくは自分のために楽器のシャリュモーを作った、
お祭りで吹くために、
村のお祭りでね。

5. Pour fair’ danser l’village
Dessous le grand ormiau,
Et les jeun’s et les vieilles,
Les pieds dans les sabiots.
村民たちを踊らせるために

大きな楡(にれ)の若木の下で、
老いも若きも、
足に木靴をはいて。

〔資料⑧〕

ロラン・サバティエ編の注によれば、この歌詞は19世紀以降に知られるようになったが、その起源はもっとずっと古く、元々は農民の舞踏歌で、16世紀にポワトゥ地方やブルターニュ地方で流行った「ガイヤルド」(gaillarde) に近いそうだ〔資料⑧〕。この元歌は、マルティーヌ・ダヴィッドとアンヌ＝マリ・デルリューによって、1660年にポワティエで出版された歌謡集に載っていることが確認されている〔資料②〕。

なお、ガイヤルドとは、「16、17世紀にイタリア、フランスで流行した３拍子の陽気なダンス（曲）」〔小学館ロベール仏和大辞典〕のことで、サバティエ編が紹介する楽譜も、確かに４分の３拍子だ。

しかし、ジャン＝クロード・クランは意見を異にし、「ブーレ」(bourrée) と呼ばれる舞踏歌だという。最初、16世紀にパリに出現し、全国各地に広まった。とくにオーヴェルニュ地方やリムーザン地方で、４分の３拍子か、８分の３拍子の３拍子系からなる陽気で快活な舞曲・舞踏曲として、19世紀をとおし、とくに中部フランスや中西部フランスの田舎で大いに流行ったという。ただ、作詞作曲不詳。

さて、踊り手たちは、キャブレット (cabrette)、──オーヴェルニュ地方のバグパイプに似た楽器〔小学館ロベール仏和大辞典〕、──の伴奏で、２人１組のペアで動き回る。女性はパートナーが言い寄ってくるのを避けるが、パートナーは怒って地面を足で踏みつける。最後には、ダンスによってふたりは仲直りする。ヴァリアントはいくつもあるが、大抵は、最後の歌詞が、ダンスをしようと誘って終わる。〔資料③〕

この歌は、20世紀初頭になっても、田舎ではまだうたわれていた。出版された歌詞を見るかぎり、ガイヤルドであれブーレであれ、それぞれにヴァリアントが存在し、リズムは4分の3、8分の3、あるいは8分の6拍子等が使用され、メロディも異なっている。フランスの音楽学者で作曲家、民族音楽学の先駆者でもあるジュリアン・ティエルソ（Julien Thiersot,1857-1936）監修で、1898年から出版された『唱歌選集』*Anthologie du chant scolaire* 所収の版は、8分の6拍子だ。〔資料③〕

なお、冒頭の Quand j'étais chez mon père（ぼくが父の家にいたころ）は、伝承歌謡の冒頭に常用される詩句のひとつで、タイトルとしても使われることがある。ジョゼフ・カントゥルーブ（Joseph Canteloube,1879-1957）の『フランス民衆歌選集』*Anthologie des chants populaires français* には、この詩句で始まる歌が13曲も収められている〔資料③〕。

*

歌詞の見慣れない単語を順次いくつかあげるが、すぐにも想像はつくだろう。歌詞番号は省略する。

pastouriau: pastoureau 羊飼いの少年。羊飼いの少女は pastourelle。

lande：(ヒース、シダなどの野生の低木しか生えない)荒れ地、ランド（ガスコーニュ地方、ブルターニュ地方などに広がる）

〔小学館ロベール仏和大辞典〕。

troupiaux：troupeaux 羊の群れ。

biau／biaux：beau／beaux 美しい、きれいな。

piau：peau：皮、皮膚。

chapiau：chapeau 帽子。

chalumiau：chalumeau ［楽器］シャリュモー、リードで発音する古い木管楽器。クラリネットの前身〔小学館ロベール仏和大辞典〕。

hamiau：hameau（村落から離れた）小集落。

ormiau：ormeau 楡の若木。

sabiot／sabiots：sabot／sabots 木靴。

〔資料⑧〕

33. *La pêche des moules* (*À la pêche aux moules*)
ムール貝採り（ムール貝採りに）

［Refrain］
À la pêche des moules
Je ne veux plus aller
Maman !
À la pêche des moules
Je ne veux plus aller.
［ルフラン］
ムール貝採りに
あたし、もう行きたくないわ
お母さん！
ムール貝採りに
あたし、もう行きたくないわ。

1. Les garçons de Marennes
Me prendraient mon panier
Maman.
Les garçons de Marennes
Me prendraient mon panier.
マレンヌの男の子たちが
あたしからあたしの籠を取り上げるかもしれないの
お母さん。
マレンヌの男の子たちが
あたしからあたしの籠を取り上げるかもしれないの。

2. Quand un'fois ils vous tiennent
Sont-ils de bons enfants
Maman ?
Quand un' fois ils vous tiennent
Sont-ils de bons enfants ?
あの男の子たちが、あなたに1度でも同じことをしたら
それでも、いい子なの
お母さん？
あの男の子たちが、あなたに1度でも同じことをしたら
それでも、いい子なの？

3. Ils vous font des caresses
De petits compliments
Maman !
Ils vous font des caresses
De petits compliments.
あの男の子たち、あなたに取り入ろうとするわ
ちょっとしたお世辞をいったりして
お母さん！
あの男の子たち、あなたに取り入ろうとするわ
ちょっとしたお世辞をいったりして。

〔資料⑨〕

歌詞1番1行目マレンヌ（Marennes）は、フランス南西部ヌーヴェル＝アキテーヌ地域圏のシャラント＝マリティーム県にある町で、大西洋に面している。旧州でいえばサントンジュ（Saintonge）地方に属し、踊りを伴うこの歌は18世紀にこの地

で生まれたが、19世紀には、オニス地方、アングーモア地方にも伝播(でんぱ)し流行した。ただし、作詞作曲不詳。

マレンヌの町はムール貝と牡蠣(かき)の養殖で知られ、――その牡蠣は、町名そのままに「マレンヌ」と呼ばれているが、――ともに極めて美味とされる。

２行目 Me prendraient mon panier（あたしからあたしの籠を取り上げるかもしれないの）の動詞 prendre は条件法現在だが、マルタン・ペネ版では M'ont pris mon panier（あたしからあたしの籠を取り上げたの）と複合過去形、ジャン＝クロード・クラン版では Me prennent mon panier（あたしからあたしの籠を取り上げるの）と現在形が使われている。

歌詞２番１行目 ils vous tiennent の tenir は、他動詞「～を意のままにする、支配する」の意〔小学館ロベール仏和大辞典〕。この男の子たちがあたしにした意地悪を、お母さん、あなたもされたとしたら、どう思いますか？　その子たちは、ほんとうにいい子だと思いますか？……という女の子の嫌悪感・忌避感を示している。

歌詞３番１行目 Ils vous font des caresses は、faire mille caresses à qn で「～にあの手この手で取り入ろうとする」、また des caresses étudiées (trompeuses) で「下心のある（見せかけの）好意」の意なので、双方を念頭において、ここでは「あの男の子たち、あなたに取り入ろうとするわ」と訳した〔小学館ロベール仏和大辞典〕。

通常うたわれるのは、上で見た歌詞３番までだが、資料⑳（Mama Lisa's World）には、それに続く以下のような現代版歌詞が紹介されている。

4. Les garçons de Marennes
Avec eux m'ont menée
Maman,
Les garçons de Marennes
Avec eux m'ont menée.
マレンヌの男の子たちは
あたしを一緒に連れて行ったのよ
お母さん、
マレンヌの男の子たちは
あたしを一緒に連れて行ったのよ。

5. Les garçons de Marennes
Ils m'ont tous embrassée
Maman,
Les garçons de Marennes
Ils m'ont tous embrassée.
マレンヌの男の子たちは
みんなであたしにキスしたのよ
お母さん、
マレンヌの男の子たちは
みんなであたしにキスしたのよ。

6. Les garçons de Marennes
M'ont emmenée baigner
Maman,

Les garçons de Marennes
M'ont emmenée baigner.
マレンヌの男の子たちは
あたしを泳ぎにつれていったの
お母さん、
マレンヌの男の子たちは
あたしを泳ぎにつれていったの。

7. Les garçons de Marennes
Mes habits ont cachés
Maman,
Les garçons de Marennes
Mes habits ont cachés.
マレンヌの男の子たちは
あたしの服を隠したの
お母さん、
マレンヌの男の子たちは
あたしの服を隠したの。

8. Les garçons de Marennes
Alors m'ont quittée
Maman,
Les garçons de Marennes
Alors m'ont quittée.
マレンヌの男の子たちは
それから、あたしを置き去りにしたの
お母さん、

マレンヌの男の子たちは
それから、あたしを置き去りにしたの。

9. Je n'aurais pas dû croire
À tous leurs beaux serments
  Maman,
Je n'aurais pas dû croire
À tous leurs beaux serments.
    あたし、信じるべきじゃなかったようね
    あの子たちのご立派な誓いのすべてを
      お母さん、
    あたし、信じるべきじゃなかったようね
    あの子たちのご立派な誓いのすべてを。

10. Les garçons sont volages
Comme pluie et vent
  Maman,
Les garçons sont volages
Comme pluie et vent.
    男の子たちは移り気よ
    雨や風のように
      お母さん、
    男の子たちは移り気よ
    雨や風のように。

11. Les filles sont fidèles
Comme l'or et l'argent

Maman,
Les filles sont fidèles
Comme l'or et l'argent.
女の子たちは誠実よ
金や銀のように
お母さん、
女の子たちは誠実よ
金や銀のように。

補足の歌詞4〜11番で、男の子が「移り気で・浮気っぽい」(volage）のは生来のものかもしれない。しかし、寄ってきた男の子たち全員に、抵抗もせず、結果的にキスを許したこの女の子は、はたして「誠実で貞淑」(fidèle）だろうか？　所詮、この世は男と女。両者の駆け引きと緊張感から、「愛」は、——いってよければ「性愛」は、——生まれる。歌詞ごとに執拗にくり返されるルフラン「ムール貝採りに／あたし、もう行きたくないわ／お母さん！／ムール貝採りに／あたし、もう行きたくないわ」は、全体を通じての男の子の意地の悪さよりも、見方をかえれば、女の子の未熟さ、浅はかさが強調されているようにも思え、虚しい。ゆえに、説明はここまでで終えたい気もするが、じつのところ歌詞内容はそう単純でもない。少しだけ補足しておこう。

ジャン＝クロード・クランによれば、歌中の男の子たちの女の子への意地悪、いってよければ悪意は、マレンヌ（＝女の子）の評判に、いくつかの隣村（＝男の子たち）が嫉妬し、村どうしが覇権争いをした歴史的事実を、皮肉り茶化したものだという。とすれば、妬（ねた）んだ隣村も狭量だが、優位に立ちながらうまく折り合いをつけられなかったマレンヌも、応分に愚かだ。

また、それとは別に、タイトルの *La Pêche des moules* ／ *À la Pêche aux moules*（ムール貝採り／ムール貝採りに）という表現が気にかかる。

じつは、moule（ムール貝）は、たぶんその形状と色あいの双方からだろう、卑語で「女性の性器」を意味することがある〔小学館ロベール仏和大辞典〕。するとどうだ、タイトルの「〜採り」の対象は、本物のムール貝から、裏の意味の「ムール貝」へと広がりを見せる。意訳でお茶を濁すほかないが、このタイトルは深層において「女性たちを釣ること」→「女漁り」の意を隠していたことになる。「女の子」が「男の子たち」を恐れ、ルフランで何度も「ムール貝採りに／あたし、もう行きたくないわ」とくり返すのは、決して大袈裟ではない、至極当然な成り行きだろう。

その関連でいえば、歌詞1番1〜2行目 Les garçons de Marennes ／ Me prendraient mon panier（マレンヌの男の子たちが／あたしからあたしの籠を取り上げるかもしれないの）も意味深長だ。panier が俗語で「尻」のことだから、——もっとも、通常は女性の尻とはかぎらないが、——「あたしの籠を取り上げる」が、「あたしの尻を取る（食べる）」と読めてしまう。

だからだろうか、表層だけみれば、なんの変哲もないこの歌詞に、セクシャル・ハラスメントの告発という現代的解釈を当てはめるひともいるらしい〔資料⑲〕。それを妥当と思うか的外れと感じるかは、ひとそれぞれだろう。

*

19世紀の中ごろ、伝統的な民衆歌のなかから発掘した歌をもとに、子ども用の歌集を編もうという流れがでてきた。ジャン

＝クロード・クランによれば、この「ムール貝採り」を好んで採用したとみられる未詳の作者は、ビュジョー（Bujeaud）のポワトゥ地方の民謡集（1863-64）のなかでその存在を知ったらしい。元歌の際どくエロティックな内容を和らげ、身振りをふんだんに取り入れて作り直されたこの歌は、すぐさま子どもたちの人気を得ただけでなく、公立小学校の教師たちの間でも受け入れられ、1923年から1977年にかけては、初等教育の教育課程に盛り込まれた。そして、ついには幼稚園で歌われる童謡にまで裾野を広げたというが、その段階で、次に引用した歌詞に見られるように〔資料③〕、行の最後ですばやく「ムール貝」をくり返し、「マレンヌ」という固有名詞も単なる「町」（ville）に置き換えたうえで、やはりその行の最後でその単語をすばやくくり返すことで、幼児が純粋に発声の喜びを得られるように変容させた。結果、私見だが、「ムール貝」と「マレンヌ」に、長らく纏（まとい）ついてきた艶（なま）めかしさからも、解き放たれることになった。

À la pêche aux moules, moules, moules,
Je n' veux plus aller, maman !
Les gens de la ville,ville,ville
M'ont pris mon panier, maman !

ムール貝、ムール貝、ムール貝採りに
あたし、もう行きたくないわ、お母さん！
町の、町の、町の人たちが
あたしからあたしの籠を取り上げたの、お母さん！

34. *Le petit chasseur* （*Il était un petit homme* ）
小さな猟師（小さな男がいました）

1. Il était un petit homm'
   À cheval sur un bâton;
   Il s'en allait à la chasse,
   À la chass' aux z'hannetons.
   小さな男がいました
   1本の棒に馬乗りになって、
   小さな男は狩りに行きました、
   コガネムシ狩りに。

   [Refrain]
   Et ti ton tain' et ti ton tain'
   Et ti ton tain' et ti ton ton.
   ［ルフラン］
   エ・ティ・トン・テーヌ・エ・ティ・トン・テーヌ
   エ・ティ・トン・テーヌ・エ・ティ・トン・トン。

2. Il s'en allait à la chass',
   À la chass' aux z'hannetons.
   Quand il fut sur la montagn'
   Il partit un coup d'canon.
   小さな男は狩りに行きました、
   コガネムシ狩りに。
   山の上に着いたとき
   大砲の弾が1発、発射されました。

3. Quand il fut sur la montagn'

Il partit un coup d'canon.

Il en eut si peur tout d'mêm'

Qu'il tomba sur ses talons.

山の上に着いたとき

大砲の弾が 1 発、発射されました。

その音がとても怖かったので

男はしゃがみこみました。

4. Il en eut si peur tout d'mêm'

Qu'il tomba sur ses talons.

Tout's les dames du village

Lui portèrent des bonbons.

その音がとても怖かったので

男はしゃがみこみました。

村のご婦人方がみな

キャンディーをもってきてくれました。

5. Tout's les dames du villag'

Lui portèrent des bonbons.

Je vous remercie, mesdam's,

De vous et de vos bonbons.

村のご婦人方がみな

キャンディーをもってきてくれました。

ありがとうございます、みなさん、

あなたがたとキャンディーに感謝します。

6. Je vous remercie, mesdam's,
De vous et de vos bonbons.
Quand vous pass'rez à la vill',
N'oubliez pas not' maison.
ありがとうございます、みなさん、
あなたがたとキャンディーに感謝します。
あなたがたが町を通りかかるときには、
わが家をお忘れなく。

7. Quand vous pass'rez à la vill',
N'oubliez pas not' maison.
Je vous fricass'rai dans la cass'
Des mouches et des z'hannetons.
あなたがたが村を通りかかるときには、
わが家をお忘れなく。
あなたがたのために、ロースト鍋で煮込みましょう
ハエとコガネムシを。

〔資料⑬、資料II-5〕

ひとりの小男が1本の棒を馬の背に見立てて跨り、コガネムシ狩りにでかける。山の上に着いたときに、大砲の音がドーンと1発。コガネムシは飛び去るだろう。小男のほうはびっくりして、その場にしゃがみこんでしまう。腰を抜かして、尻もちをついたのかもしれない。そこへ、村のご婦人たちがキャンディーを届けてくれる。幼い子どもがうたうとしたら、この歌詞1～5番までが適切だろう。手元の童謡絵本も同様で、「コガネムシ狩り

も絶対安全安心というわけじゃない。コガネムシのかわりに、この小男はキャンディーを食べるだろう」との解説が付されている〔資料II-5〕。

ところで、同じ童謡絵本のカラーのイラストでは、肩に鉄砲（？）を担いだ可愛らしい小男が、木馬に見立てた1本の棒のまんなか辺りに置いた鞍に跨り、自分の脚で意気揚々と歩いているさまが描かれている。そしてご丁寧にも棒の片方の先には馬の顔とたてがみ部分がとりつけられ、不完全ながら最低限「馬」の様相を呈している。

歌詞からは、絵本のイラストの図柄・構図までは想像しにくいが、フランス人はÀ cheval sur un bâton、——直訳すれば「1本の棒に馬乗りになって」、——の1句で、そこまで容易に想像できるのだろう。

マルタン・ペネ版では、歌詞6〜7番の予想外の描写がつづく。1985年にアンリ・デス（Henri Dès）がうたって録音したヴァージョンがそうだ。キャンディーをくれた親切なご婦人方に、もし我が家を訪ねてくることがあれば、ハエやコガネムシのホワイトソース煮込みを返礼として振舞おうというのだから。なんたるゲテモノ料理！

フランスのみならずヨーロッパでは、自然界の生き物はみな食べ物だから、その昔にはありえたことかもしれない。わからないが。信州のハチの子やイナゴやザザムシの料理を彷彿とさせる。

歌詞1番：À cheval sur un bâtonは、1本の棒を木馬（cheval de bois）に見立てた表現。主人公の小男は、この棒に跨って、コガネムシ狩りにでかけたのだ。

：aux z'hannetons の z の挿入は、民衆歌に時折見られる誤ったリエゾン表記。hannetons（コガネムシ）は、文法的には有音の h（h aspiré）なので、ふつうはリエゾンしない。なのに、古い民衆歌では故意に子音（ここでは z）を挟み、あたかも母音衝突（hiatus）を避けたかのように表記することがある。

歌詞３番：il tomba sur ses talons は、Il est tombé sur les fesses（彼は尻の上に落ちた⇒彼は尻もちをついた）のフランス語表現から推して、「踵の上に落ちた⇒しゃがみこんだ」の意味にとった。

歌詞７番：fricass'rai は、動詞 fricasser の単純未来形で、「フリカッセにする」という意味。フリカッセ（fricassée）とは、鶏・ウサギ・子牛肉・野菜などのホワイトソース煮込みのこと。

〔資料II-5〕

35. *Le petit mari (Mon père m'a donné un mari)*
小さな夫（父はあたしに夫を与えた）

1. Mon père m'a donné un mari,
Mon Dieu ! quel homme,
Quel petit homme !
Mon père m'a donné un mari,
Mon Dieu ! quel homme,
Qu'il est petit !
父があたしに夫を与えてくれた、
まあ！　なんて男、
なんて小男なの！
父があたしに夫を与えてくれた、
まあ！　なんて男、
なんて小さいの！

2. D'une feuille on fit son habit,
Mon Dieu ! quel homme,
Quel petit homme !
D'une feuille on fit son habit;
Mon Dieu ! quel homme,
Qu'il est petit !
夫の服は１枚の葉っぱで作れた、
まあ！　なんて男、
なんて小男なの！
夫の服は１枚の葉っぱで作れた、
まあ！　なんて男、

なんて小さいの！

〔注〕各歌詞の1行目と4行目（同じ詩句）が変わっていくだけなので、以下の歌詞3番～11番は冒頭の1行目だけを書きだし、最後の歌詞12番で再び全歌詞を記す。

3. Le chat l'a pris pour un' souris,
ネコが夫をネズミと間違えた、

4. Au chat! au chat ! c'est mon mari,
ネコちゃん、ネコちゃん！　あたしの夫なのよ、

5. Je le couchai dedans mon lit,
あたしは夫をあたしのベッドのなかに寝かせた、

6. De mon lacet je le couvris,
あたしは夫に組みひもをかけてやった、

7. La premièr' nuit, j'couch' avec lui,
初夜に、あたしは夫といっしょに寝た、

8. Au fond du lit je le perdis,
ベッドの奥に、あたしは夫を見失った、

9. Pour chercher j'pris la bougi',
夫を探すために、あたしはロウソクを手にとった、

10. Le feu à la paillasse a pris,

藁(わら)布団に火がついた、

11. Mon petit mari fut rôti,

あたしの小さな夫が焼かれてローストになった、

12. Pour me consoler, je me dis:

Mon Dieu ! quel homme,

Quel petit homme !

Pour me consoler, je me dis:

Mon Dieu ! quel homme,

Qu'il est petit !

あたしは自分を慰めるため、こう独り言をいった、

まあ！　なんて男、

なんて小男なの！

あたしは自分を慰めるため、こう独り言をいった、

まあ！　なんて男、

なんて小さいの！

〔資料⑬〕

夫が妻よりあまりに小柄で、とてもお似合いとはいえないカップルがテーマだ。日本では、夫が妻より背が低いケースを「蚤(のみ)の夫婦」というが、この歌では、ネコが男をネズミと間違うぐらいだから、ちょっと極端だ。手元の童謡絵本では、歌詞１～４番と歌詞12番だけが掲載されている〔資料II-3〕。それだけなら、ユーモラスで、楽天的な夫婦を予測することさえ可能だ。

いくつものヴァージョンがあるが、紹介した歌詞は、夫には悲劇だ。ロウソクの火が布団に燃え移り焼け死んでしまうのだか

ら。ほかに、妻に押しつぶされて死んでしまう歌もある。悲劇中の悲劇だ。たぶん、こうした残酷な筋書きのほうが、元歌に近いのだろう。

その一例として、上記11番と同じ歌詞のあとに次のような歌詞が置かれ、いっそう残忍さを予感させるものもある〔資料⑳〕。

Sur une assiette je le mis,
Mon Dieu ! quel homme,
Quel petit homme !
Sur une assiette je le mis,
Mon Dieu ! quel homme,
Qu'il est petit !

あたしは、(ローストになった) 夫を皿の上においた、
まあ！　なんて男、
なんて小男なの！
あたしは、(ローストになった) 夫を皿の上においた、
まあ！　なんて男、
なんて小さいの！

さすがに、「あたし (妻) は食べた」とは続かないが、かわりに上記の歌詞3～4番が続き、ネコがこんがり焼けた男 (夫) をネズミと間違え、妻が「それは (ネズミじゃない)、あたしの夫よ」と、大慌てする筋書きになっている。子ども用に、いくぶん滑稽譚に仕上げたのだろう。

とはいえやはり、この歌には、カニバリスム (cannibalisme)、──人間が人間の肉を食べる行動や習慣 (食人、人肉嗜食)、──が潜(ひそ)んでいるように思えて、どこか不気味だ。妻である「あ

たし」は、ローストされた小さな夫を、いったん皿に盛りつけたのだから。食べる意欲満々ということだろう。

それとも、「食べたいほど可愛い」(assez mignon pour manger)という、妻の夫への愛情表現の表れなのだろうか？　もっとも、ふつうは男性が女性にたいして思わず口をついてでることばだけど。英語なら « You are so cute I could just eat you up. » にあたる。ふと、中世の『クーシー城代の奥方』で語られる、夫が愛する男の心臓を不貞の妻に食べさせる話を連想した。

ところで、洋の東西を問わず、小人を題材にした昔話群が存在する。シャルル・ペローの「親指太郎」*Le Petit Poucet* やグリム童話の「親指小僧」*Daumesdick*、あるいは日本の『御伽草子』のなかの「一寸法師」などがそうだ。この場合、いずれも、子どものできない夫婦が、神に願うことで授かった小さな子、という共通点がある。「親指太郎」「親指小僧」ではウシやオオカミに喰われたのに腹からでてくるし、「一寸法師」では喰われた鬼の目から脱出と、本人の望まない数奇な冒険を強いられる。類話すべてがそうではないが、たまたま挙げたこの３話では、いったんなにものかに食べられるのが特徴だ。また、成長しても小さいままの話もあるが、一寸法師のように打ち出の小槌をふられて６尺の偉丈夫になり、宰相殿の娘と結ばれるというメデタシメデタシの話もある。ちなみに１寸は約３センチ、６尺は約 182 センチ。『御伽草子』の成立は鎌倉時代末から江戸時代にかけてだが、それを考慮しなくても、現在でも大男だ。

このシャンソンは、妻が主人公ならカニバリスムが、夫が主人公なら異常誕生譚が、それぞれ歌詞の奥底に潜んでいる。いや、潜んでいるのは、双方か……。それは、人間自身が追いやった、歴史の影の部分だ。子どもの歌は、一筋縄ではいかない、ほんとうに手ごわいものだ。

ところで、歌詞2番の惨めな4行「夫の服は1枚の葉っぱで作れた／まあ！　なんて男／なんて小男なの！／夫の服は1枚の葉っぱで作れた」から、ジョルジュ・ブラッサンス（Georges Brassens,1921-81）のシャンソン「澄んだ泉の水のなかで」*Dans l'eau de la claire fontaine* の歌詞4番を思いだした。健康的なエロティシスム溢れる、じつに清新で明るい歌詞だ。1人称の「ぼく」が、澄んだ泉で水浴している裸の娘に、かわいいペチコートを作ってやろうと……

Avec la pampre de la vigne,
Un bout de cotillon lui fis.
Mais la belle était si petite
Qu'une seule feuille a suffi.

ブドウの葉でもって、
短いペチコートを作ってやった。
あの美しい娘はとても小柄ゆえ
葉は1枚だけで足りた。

ブドウの葉は、エヴァ（イヴ）の恥部を隠す原初の最小の衣服だった。美しい娘のために、たった1枚のブドウの葉で作ったペチコートがなにを表象するかは、容易にわかるだろう。現在でいえば、超ビキニだろうけど。

＊

「小さな夫」→「小さな男」を、架空の世界の存在に閉じこめておくかぎり、大人たちも安心だ。

だがどうだろう。例の「一寸法師」は、宰相の娘と結婚する前に、打ち出の小槌の霊力を借りて、娘にふさわしい体軀に成長するまで振りつづけられた！　いや、もっと率直にいえば、小槌を振るという名目のもと、淫靡(いんび)な刺激が、娘に適合する大きさになるまで加えつづけられたといってよい。言い換えれば、「一寸法師」は、伝説の装いを纏(まと)った強烈なレアリスムなのだ。問題は、見かけの身長ではない。法師の隠された部分、ストレートにいえば「男根」の寸法だった。当初の3センチが、182センチの身長に見合う長さ・太さになったということだ。しばしば語られるこの巷の俗説が、いまや真実味を帯びてくる。

フランス人も同じこと、アダムがイチジクの葉で隠した箇所は、男女の永遠の関心事だ。歌詞6番の1行目と4行目 De mon lacet je le couvris（あたしは夫に組みひもをかけてやった）は悩ましい。動詞 couvrir には「（動物の雄が雌と）交尾する」という意味があるからだ。それを踏まえて、歌詞6番を強いて裏の意味にとって訳すと次のようになる。

De mon lacet je le couvris,
Mon Dieu ! quel homme,
Quel petit homme !
De mon lacet je le couvris,
Mon Dieu ! quel homme,
Qu'il est petit !

あたしはあたしの組みひもをかけて夫と交わった、
まあ！　なんて男、

なんて小男なの！
あたしはあたしの組みひもをかけて夫と交わった、
まあ！　なんて男、
なんて小さいの！

となると、妻の慨嘆、――「まあ！　なんて男」「なんて小男なの！」「なんて小さいの！」、――は、もはや夫の一物のふがいなさ、インポテンツにたいして向けられたものとしか聞こえなくなる。

じつは、この歌は、意に反して結婚させられ、結果、不幸になった娘がヒロインの、文字どおり Chansons des mal mariées（不幸な結婚をした女性たちの歌）と呼ばれる系譜に属し、元歌は17 世紀まで遡ることができるが、不幸だと思う理由がつねに性的欲求不満、それも原因が局部に起因するだけに、必然的にエロティックな内容を暗示することになる。結果、翻って、女性の快楽へのあけすけな権利要求になるのは必然だ。一例をあげれば、1650 年に出版された『ロマン・コミック』*Le Roman comique* のなかでスカロン（Paul Scarron, 1610-60）は、登場人物のひとりラ・ランキュヌ（la Rancune）につぎのような歌詞をうたわせている〔Cf. 資料③〕。

Mon père m'a donné mary
Qu'est-ce que d'un homme si petit
Il n'est pas plus grand qu'un formy.
　お父さんがあたしに夫を与えてくれた
　でもなんて小さな男かしら

アリさんほどの大きさしかないんだもの。

蟻さんほどの大きさしかない男？　……初夜における娘の落胆は、想像に難くない。たとえ誇張とはいえ、アリにでも喩えるほかない夫のペニスの貧弱さを嘆いているのだ。

この種の歌は、17～18世紀にかけて出版された数十曲のシャンソンや、——例えば、バラール（Ballard）による *Rondes, chansons à danser*（ダンスのためのロンドと歌）には13曲が収められているが、——19世紀に収集された歌を見ても、原形をほとんど崩していない。つねに、ルフランを伴う短い詩節と陽気な音楽で構成され、内容はインポテントの夫への辛辣な風刺からなる。夫の「一物」についての比喩、例えば「アリ、ネズミ、クルミの実」などには、奥方たちの失望と侮蔑が凝縮されている。

「小さな夫」*Le petit mari* の流行は、第一義的にはあるがままの現実、つまり夫が欠陥生殖器の持ち主であることを悟った妻の失意と夫の自虐だが、第二義的には当時の女性の一段低い法律上の位置・文化的立場を反映することにもなった。男性の痛いところを突き、その不能を嘲弄することで、社会的弱者の女性が男性に一矢報いる、……女性にとっては、痛快な社会的カタルシスだっただろう。

ここで取り上げた「小さな夫」は、もっとも流布したヴァージョンである。これは1846年にデュ・メルサン Du Mersan とノエル・セギュール Noël Ségur が編んだ *Les Chansons et rondes enfantines*（子どもの歌とロンド）所収のものだ。歌詞のコミカルな滑稽さは、なによりもまず全体を通して脚韻に使われている[i]音の反復に支えられ、この陽気な明るい母音の繰り返しにより子どもたちの人気を得た。しかし、いつの時代であれ、歌は世につれ世は歌につれだ。このジャンルの歌は、聴衆の嗜好の変化とともに、急速に衰退した。かつての不幸な結婚を強いられた女性側からの風刺は、卑猥な歌を伝統的に受け継ぐカフェ・コンセールで受容されたのち、徐々に別種の「嘆き歌」に席を譲っていった。

〔資料II-5〕

36. *Le peureux*

臆病者

1. Tout en passant par un p'tit bois
Où le coucou chantait,
Où le coucou chantait
Et dans son joli chant disait:
« Coucou coucou ! Coucou coucou ! »
Et moi je croyais qu'il disait:
« Coup'-lui le cou ! Coup'-lui le cou ! »
Et moi de m'en cour' cour' cour'
Et moi de m'en courir.

小さな森を通っていたとき
カッコウが鳴いていて、
カッコウが鳴いていて
そしてきれいな歌声で、こういっていた。
「クックー　クックー！　クックー　クックー！」
なのに、わたしにはこういっているように思えた。
「奴の首を切れ！　奴の首を切れ！」
そこでわたしは走って、走って、走って
逃げ回った。

2. Tout en passant près d'un étang
Où les canards chantaient,
Où les canards chantaient
Et dans leur joli chant disaient:
« Cancan cancan ! Cancan cancan ! »

Et moi je croyais qu'ils disaient:
« Jett'-le dedans ! Jett'-le dedans ! »
Et moi de m'en cour' cour' cour'
Et moi je m'enfuyais.

池のそばを通りかかったとき、
カモが鳴いていて、
カモが鳴いていて
そしてきれいな歌声で、こういっていた。
「カンカン　カンカン！　カンカン　カンカン！」
なのに、わたしにはこういっているように思えた。
「奴を池のなかに投げこめ！　奴を池のなかに投げこめ！」
そこでわたしは走って、走って、走って
逃げ去った。

3. Tout en passant près d'un moulin
Où la grand'roue tournait,
Où la grand'roue tournait
Et dans son joli chant disait:
« keti ketac ! keti ketac ! »
Et moi je croyais qu'ell' disait:
« Ah ! que j'l'attrape ! ah ! que j'l'attrape ! »
Et moi de m'en cour' cour' cour'
Et moi je m'enfuyais.

水車小屋のそばを通ったとき
大きな輪が回っていて、
大きな輪が回っていて
そしてきれいな歌声で、こういっていた。

「ケティ　ケタック！　ケティ　ケタック！」
なのに、わたしにはこういっているように思えた。
「ああ！ あいつを捕まえるぞ！ ああ!あいつを捕まえるぞ！」
そこでわたしは走って、走って、走って
逃げ去った。

4. Tout en passant dans la prairie
Que les faucheurs fauchaient,
Que les faucheurs fauchaient
Et dans leur joli chant disaient:
« Ah ! quell' chaleur ! ah ! quell' chaleur ! »
Et moi je croyais qu'ils disaient:
« C'est lui l'voleur ! c'est lui l'voleur ! »
Et moi de m'en cour' cour' cour'
Et moi je m'enfuyais.

牧草地のなかを通ったとき
草刈人が草を刈っていて、
草刈人が草を刈っていて
そしてきれいな歌声で、こういっていた。
「ああ！　なんて暑いんだ（ケル・シャルール）！　ああ！　なんて暑いんだ（ケル・シャルール）！」
なのに、わたしにはこういっているように思えた。
「奴は泥棒だ！　奴は泥棒だ！」
そこでわたしは走って、走って、走って
逃げ去った。

5. Tout en passant près d'une église
Où les chanteurs chantaient,

Où les chanteurs chantaient
Et dans leur joli chant disaient:
« Alléluia ! Alléluia ! »
Et moi je croyais qu'ils disaient:
« Arrêt' c'lui-là ! arrêt' c'lui-là ! »
Et moi de m'en cour' cour' cour'
Et moi je m'enfuyais.

教会のそばを通ったとき
聖歌隊がうたっていて、
聖歌隊がうたっていて
きれいな歌声で、こういっていた。
「アレルヤ！　アレルヤ！」
なのに、わたしにはこういっているように思えた。
「そいつを捕らえろ！　そいつを捕らえろ！」
そこでわたしは走って、走って、走って
逃げ去った。

6. Tout en passant près d'la maison
Où les poulailles chantaient,
Où les poulailles chantaient
Et dans leur joli chant disaient:
« Coucouricou ! coucouricou ! »
Et moi je croyais qu'ell's disaient:
« Coup'-lui le cou ! coup'-lui le cou ! »
Et moi de m'en cour' cour' cour'
Et moi je m'enfuyais.

家のそばを通ったとき

家禽(かきん)が鳴いていて、
家禽が鳴いていて
きれいな歌声で、こういっていた。
「ククリク！　ククリク！」
なのに、わたしにはこういっているように思えた。
「奴の首を切れ！　奴の首を切れ！」
そこでわたしは走って、走って、走って
逃げ去った。

〔資料⑪〕

作詞作曲年代不詳。各歌詞の５行目と７行目が、よく似た音声になるよう仕組まれているらしいが、似ていると思われるのは１番、５番、６番だけだ。実際に、確認しておこう。

１番：Coucou coucou ! Coucou coucou !（クックー　クックー！　クックー　クックー！）／Coup'-lui le cou! Coup'-lui le cou !（クプリュイ・ル・ク！　クプリュイ・ル・ク！＝奴の首を切れ！　奴の首を切れ！）

５番：Alléluia ! Alléluia !（アレルヤ！　アレルヤ！）／Arrêt' c'lui-là ! arrêt' c'lui-là !（アレトゥ・スリュイラ！　アレトゥ・スリュイラ！＝そいつを捕らえろ！　そいつを捕らえろ！）

６番：Coucouricou ! coucouricou !（ククリク！　ククリク！）／Coup'-lui le cou ! coup'-lui le cou !（クプリュイ・ル・ク！　クプリュイ・ル・ク！＝奴の首を切れ！　奴の首を切れ！）

残りの歌詞２番、３番、４番は、かすかに同音が含まれている程度で、とても似ているとはいえない。逆手に取って、似ていないものが似ていると聞こえた、臆病者の妄想か幻聴と解釈すると面白い。

ある状況で、なんでもない動物たちの鳴き声や人の声や物音が、恐ろしい内容の人声に聞こえてきたという経験は、だれしもあるだろうが、歌中の主人公のように、いくつも重なると、やはり生来の怖がり屋、臆病者、いやむしろ見方を変えて、粗忽者の範疇に入れたほうがいいかもしれない。

歌詞３番の un moulin は、風車（un moulin à vent）か水車（un moulin à eau）か？　次行の la grand'roue（=la grande roue）「歯車、車輪状の装置」を備えていることから、「水車」と見做してよいだろう。ちなみに、遊園地で見かける grande roue は大観覧車のこと。この怖がり屋・臆病者は、水車の回っている車輪から、「車刑」（supplice de la roue）を連想し、恐怖に陥ったのかもしれない。かつての殺人・強盗に対するこの刑は、受刑者の四肢、胸を鉄棒で折ったうえ、宙づりの車輪に縛りつけ、息絶えるまで放置したというから、残虐この上ない。〔Cf. 小学館ロベール仏和大辞典〕

歌詞４番の les faucheurs（単数 le faucheur）は、牧草地で草を刈っている男たちだから、まずは表向き「草刈人」とみてよい。だが、faucheur には、話し言葉で「泥棒」の意味があるので、深層において、７行目の「奴は泥棒だ！　奴は泥棒だ！」におのずと呼応する。さらに、faucheur d'hommes といえば「殺戮者」のこと、この怖がり屋・臆病者の脳裡では、草刈人から泥棒へ、泥棒から殺戮者へとイメージが膨らみ、恐怖の度合いがいや増しただろう。

歌詞５番の Alléluia は「アレルヤ」と読み、神を賛美する叫び。カトリックでは特に復活祭のとき、この語の入った聖歌をうたう。詩語としては「歓びの歌、歓喜の叫び」を表し、「ハレルヤ」ともいう。〔Cf. 小学館ロベール仏和大辞典〕

歌詞６番の poulaille(s) は、めったにお目にかかることのない単語だが、地域によっては、「〔集合的に〕(１つの飼育場にいる)家禽」をさしていうようだ。よく似た単語の poulailler は、「①鶏小屋②〔集合的に〕(１つの鶏舎にいる)鶏」のこと。〔Cf. 小学館ロベール仏和大辞典〕

これ以外の歌詞もあるが、省略し、歌詞６番のヴァリアントのみを紹介しておこう〔資料Ⅱ-3〕。

En passant devant un'maison
Où la bonn' femme chantait,
Où la bonn' femme chantait
Dans son joli chant ell'disait:
« Do-do, do-do ! do-do, do-do ! »
Et moi qui croyais qu'ell' disait:
« Cass'-lui les os! Cass'-lui les os ! »
Et moi de m'en cour' cour' cour'
Et moi de m'en courir.

ある１軒の家の前を通りかかった際
女のひとがうたっていた、
女のひとがうたっていた
きれいな歌声で、こういっていた。

「ドド、ドド！　ドド、ドド！」
なのに、わたしにはこういっているように思えた。
「そいつの骨を折れ！　そいつの骨を折れ！」
そこでわたしは走って、走って、走って
逃げ回った。

bonn' femme（= bonne femme）は、時代、文脈によって、「〔話〕女；〔俗〕女房；〔古〕お人よしのおばさん、おばあさん」と、意味は多様だ〔小学館ロベール仏和大辞典〕。この女性はきれいな声で「ドド、ドド！　ドド、ドド！」(＝おねんね、おねんね！　おねんね、おねんね！）とうたっている。年齢は不詳だが、たぶんこの家の赤ちゃんをあやしている若い女房だろう。一応、「女のひと」と訳した。

それにしても、「骨を折れ」に当たる「カスリュイ・レゾ」(Cass'-lui les os）が、末尾の les os「レゾ」の [o]（オ）の母音が同一とはいえ、「ドド、ドド」(do-do, do-do）に聞こえるだろうか？　音が似ているとするには、あまりに無理がある。

ここに紹介した歌のタイトルは、*Le peureux*（臆病者）以外に、*Le petit nigaud*（間抜け）とか、*Le poltron*（臆病者）とか、*Et moi de m'en courir*（そして、私は逃げ回る）等々ある。

〔資料Ⅱ-6〕

37. *Polichinelle*

ポリシネル

[Refrain]

Pan, pan. — Qu'est-c'qu'est là ?
— C'est Polichinelle,
Mam'selle.
Pan, pan. — Qu'est-c'qu'est là ?
— C'est Polichinell' que v'là !

［ルフラン］
パン、パン。「そこにいるのはだれ？」
「ポリシネルです、
お嬢さん」
パン、パン。「そこにいるのはだれ？」
「控えますは、ポリシネルです！」

1. Il n'est
Pas bien fait;
Mais il espère
Vous plaire.
Ouvrez, s'il vous plaît,
Il chant'ra son p'tit couplet.

ポリシネルの容姿は、
あまり美しくはありませんが、
でも願っているのです
あなたがたに好かれることを。
どうか幕を開けてください、

ポリシネルが自作の戯れ歌をうたいますよ。

2. Joyeux,
En tous lieux,
Toujours en cadence
Il danse,
Marquant à propos
La m'sure avec ses sabots.

陽気に、
どこにいても、
いつも規則正しいリズムで
ポリシネルは踊ります、
タイミングよく取りながら
木靴で拍子を。

3. Chez lui
Point d'ennui,
Sans négoce
Il roul' sa bosse,
Il s'moque des sots,
Et s'promène en f'sant l'gros dos.

ポリシネルには
悩みもなければ、
いんちきもありませんが
背中のこぶを揺すって歩きます、
おバカさんたちをからかい、
背中を丸めて、歩きまわるのです。

4. Enfants,
Petits et grands,
Il aspire
À vous fair' rire;
Disant: Jeunes et vieux,
Quand on rit, on est heureux.

さあ、子どもたちよ、
幼い子も、年長の子も、
ポリシネルは願っているのですぞ
ぜひともきみたちを笑わせたいと、
こんな口上を述べながらね、「若者にお年寄りの方々、
笑う門には、福来るじゃ」

〔資料⑬〕

タイトルにもなっている主人公ポリシネル（Polichinelle）は、イタリアのコンメディア・デッラルテの登場人物のひとりプルチネッラ（Pulcinella）のこと。たいていは、伊達男アルレッキーノのそばにいて、鷲鼻で黒いマスクを被り、白い外套を着、猫背で、だまされやすい男の典型だったが、フランスに伝わって、アルルカン（Arlequin）と呼ばれるフランス人形劇の道化人形になり、マルチカラーの服装で派手な帽子を被った「こぶ男」へと変身する。幼児から老人まで、そのキャラクターは広く愛されるようになった。

イタリア語のプルチネッラからは、イゴール・フョードロヴィチ・ストラヴィンスキー（Igor Fyodorovich Stravinsky,1882-1971）のバレエ音楽「プルチネルラ」を思い起こすひともいるだろう。イ

ギリスではパンチ（Punch)、ドイツではカスペル（Kasperl）に相当する。

ルフラン部のPan, panのpanは、「撃つ音・たたく音・破裂する音」をあらわす擬音語だ〔プチ・ロワイヤル仏和辞典（旺文社)〕。

マリオネット劇の主人公ポリシネルが、舞台下（または横手）に控えている。「パン、パン」という開始の合図で、これから舞台に登場するのだ。呼びだすのは、お嬢さん。Mam'selleは、Mademoiselleの短縮形だ。歌では姿を見せない相手役コロンビーヌか、それとも観客の女の子の１人という設定か、それはわからない。

歌詞３番のIl s'moque des sotsのsotsは、sotの複数形で「バカ、間抜け」の意味だが、古くは間抜けのなかでも最たる「妻に裏切られた男、寝取られた男」も意味した。マリオネット劇が、まずは子ども向けであることを考えて、一応「(ポリシネルは）おバカさんたちをからかい」と訳したが、付き添って観にきている親たちには「寝取られ男を嘲笑い」とも聞こえ、苦笑いするものもいるだろう。

また、en f'sant l'gros dosは、「①（猫が）背中を丸くする、毛を逆立てて威嚇する。②（身を縮めて）非難に耐える」〔同上〕の意味なので、ここでは、背中にこぶを背負ったポリシネルが自然に猫背になるさまをいっているのだろう。同時に世間の嘲り(あざけ)に耐える姿も表象しているのだろうけど。

ところで、小さな子どもたちがこの歌詞全部を歌うとは思えない。童謡絵本『わが国の古い歌』に、簡潔な歌詞が記載されている〔資料II-4〕。ルフランは、まったく同じだ。

[Refrain]

Pan ! Pan ! Qu'est-c'qu'est là ?
C'est Polichinelle
Mam'selle.
Pan ! Pan ! Qu'est-c'qu'est là ?
C'est Polichinell' que v'là !

［ルフラン］

パン！　パン！「そこにいるのはだれ？」
「ポリシネルです
お嬢さん」
パン！　パン！「そこにいるのはだれ？」
「控えますは、ポリシネルです！」

1. Il est mal fait
Et craint de vous déplaire.
Mais il espère
Vous chanter son couplet.

ポリシネルは容姿が悪く
好かれないのではと恐れています。
でもポリシネルは願っているのです
みなさんに自分の歌をうたってきかせるのを。

2. Toujours joyeux
Il aime fort la danse.
Il se balance
D'un petit air gracieux.

ポリシネルは、いつだって陽気
ダンスがとっても好きです。
ポリシネルは体を揺すります
優雅な様子で。

この童謡絵本のカラーのイラストを見ると、確かにポリシネルは、背中と腹部にひとつずつ、２つの瘤をもち、多色のハイカラな服を着て、派手で豪華な帽子を被っている。

＊

フランス・ギャル（France Gall,1947-2018）が 1967 年にうたったシャンソン *Polichinelle*（ポリシネル）を紹介しておこう。邦題が、「恋のためいき」となっていたのは摩訶不思議だが。作詞はピエール・サカ（Pierre Saka,1921-2010）で、作曲はジャン・アントワーヌ・ベルナール（Jean Antoine Bernard）。1967 年の作だ。

1. J'ai un joli polichinelle
Que vient de m'offrir une amie
Dans son bel habit de dentelle
Il est assis, près de mon lit
あたし、可愛いポリシネル人形をもってるの
女友だちのひとりからもらったばかり
きれいなレースの服を着て
座っているわ、ベッドのそばに

2. Mais un jour mon polichinelle
En un grand garçon s'est changé

Il m'a dit : « Vous êtes bien celle
Que je vais aimer »
けどそんなある日、あたしのポリシネル人形が
大きな男の子に変身して
こういったの、「きみはね、まさに運命の女の子なんだ
ぼくが愛することになる」

3. C'était le prince charmant
Dont je rêvais quand j'étais enfant
Il m'a prise dans ses bras
Et m'a dit tout bas :
おとぎ話の王子様みたいに素敵だったわ
あたしが幼いころに夢見ていたような
あのひとあたしを腕に抱きしめて
そしてこう囁いたの、

4. « Déguisé en polichinelle
Je suis là pour vous emmener
Et demain une vie nouvelle
Pour tous les deux va commencer »
「ポリシネル人形に変装して
ここにきたのは、あなたを連れ去るためだよ
そして明日からは、新しい人生が
始まるんだ、ふたりのね」

5. Oui mais juste à ce moment-là
Soudain j'ai entendu des pas

C'était ma mère qui arrivait
Et dans ma chambre, elle est entrée
ええ、だけどちょうどそのとき
とつぜん足音が聞こえたの
やって来たのは、お母さん
そしてあたしの寝室にはいってきたの

6. Le garçon en polichinelle
Comme par miracle s'est changé
Dans son bel habit de dentelle
Assis sur mon lit
その男の子は、ポリシネル人形に
驚いたことに、ぱっと変身したの
いつものレースのきれいな服を着て
あたしのベッドの上に座っているのよ

7. Je ne sais pas si j'ai rêvé
Ou bien si c'est la réalité
Mais moi j'ai depuis ce jour
Rencontré l'amour
あたしにはわからないの、あたしに起こったことが夢か
うつつかが
でもあたし、あの日以来
恋を知ってしまったの

8. J'ai un joli polichinelle
Que vient de m'offrir une amie

Dans son bel habit de dentelle

Il est toute ma vie

あたし、可愛いポリシネル人形をもってるの

女友だちのひとりからもらったばかり

きれいなレースの服を着て

あたし、このポリシネル人形とずっといっしょよ

Dou dou dou dou dou dou dou　(*quater*)

ドゥ　ドゥ　ドゥ　ドゥ　ドゥ　ドゥ　ドゥ　(4回くり返す)

Il est toute ma vie　(*ter*)

あたし、このポリシネル人形とずっといっしょよ

(3回くり返す)

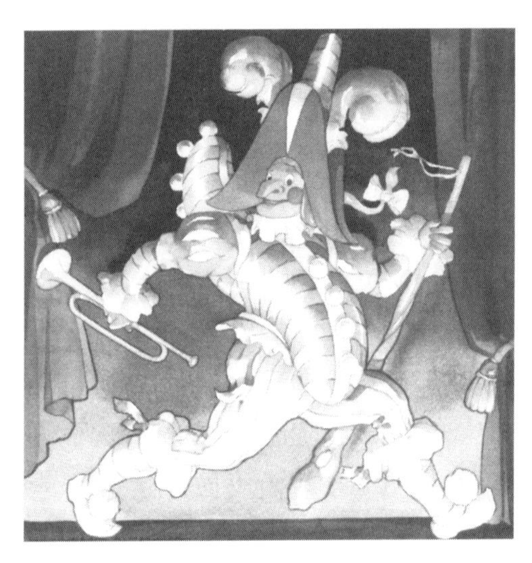

〔資料II-4〕

38. *Quand trois poules vont aux champs*
3羽のメンドリが野原に行くとき

Quand trois poules vont aux champs,
La première va devant,
La deuxième suit la première,
La troisième vient la dernière.
Quand trois poules vont aux champs,
La première va devant.

3羽のメンドリが野原に行くとき、
1羽目が先頭を行き、
2羽目がそれにつづき、
3羽目が最後にやってくる。
3羽のメンドリが野原に行くとき、
1羽目が先頭を行く。

〔資料⑳、Cf. 資料II-7〕

詩行1がQuand trois poules s'en vont aux champsに、詩行2がLa seconde suit la premièreに、詩行4が La troisième va dernièreになっている版もあるが〔資料II-7〕、意味はほぼ同じ。遊び方は以下のとおりで、いたって単純だ。

3人（＝3羽）が縦列で歩きだし、そして立ちどまる。ついで、先頭の子どもが最初の句「1羽目が先頭を行き」で前へ進み、次の子どもが先頭の子どもに続き、最後の子どもが前を行く2人に続く。この3人の行進をくり返し続ける。もちろん声にだしてうたいながらだ。

作詞は不詳だが、旋律はフランス伝承歌謡「ああ！　ママ、聞いて」（*Ah ! vous dirai-je, maman*）と同じ〔Cf. 本書3.「ああ！ママ、聞いて！」pp.18-27〕。

別のヴァージョンを２例、紹介しておこう〔資料⑳〕。

その１

Quand trois poules vont aux champs
La première va par-devant
La deuxième suit la première
En chantant coquelonlaire
La troisième ferme les rangs
Quand trois poules vont aux champs

３羽のメンドリが、野原に行くとき
１羽目が前を行き
２羽目が１羽目のあとにつづき
コケコッコーをうたいながら
３羽目が列の最後だ
３羽のメンドリが、野原に行くとき

その２

Quand trois poules vont aux champs,
La première va devant
La deuxième suit la première
La troisième vient derrière.
Et tout en se promenant
Elles vont chercher du froment.

３羽のメンドリが、野原に行くとき、

38. Quand trois poules vont aux champs /3羽のメンドリが野原に行くとき

1羽目が前を行き
2羽目が1羽目のあとにつづき
3羽目が最後にやってくる。
ぶらぶら歩きながら
メンドリたちは小麦を探しに行く。

最終詩行の froment は、文章用語として用い「(パン用の) 軟質小麦」のことで、ふつうに「小麦」というときには、blé を使う。また、blé froment といえば「最上の小麦」のことだ。〔小学館ロベール仏和大辞典〕

ところで、「コンティーヌ」(comptine) という言葉だが、もともと動詞 compter (数える) から派生した単語には違いないが、日本語でいう「数え歌」のことではない。子どもたちが、遊びで役割 (鬼など) を決める際にうたう「童歌(わらべうた)」のもっとも単純な形態をさし、一般に「はやし歌」と訳されることが多い。

*

日本の「数え歌」には2種類ある。数詞を折り込んだケースと、数字を数え上げたケースだ。〔Cf. 資料⑲〕

たとえば、前者の例でいえば、「一番はじめは一の宮」がそうだ。明治時代後期から昭和時代にかけて、全国でうたわれていた手まり歌の一種。

一番はじめは一の宮／二また日光中禅寺／三また佐倉の惣五郎／四はまた信濃の善光寺／五つは出雲の大社(おおやしろ)／六つ村々鎮守様／七つは成田の不動様／八つ八幡の八幡宮／九つ高野の高野山／十で東京心願寺／これほど心願かけたのに／浪子の病は治らない／

ごうごうごうと鳴る汽車は／武男と浪子の別れ汽車／二度と逢えない汽車の窓／鳴いて血を吐くほととぎす／武男が戦争に行くときは／白い真白いハンカチを／うちふり投げてねえあなた／早く帰ってちょうだいね

　後者の例でいえば、「どちらにしようかな」がそのひとつ。遊びの鬼ごっこの鬼に限らず、なにかを選んで決める際に使われる呪文のような数え歌。全国各地にヴァリアントがあるので、とりあえず、長野県と奈良県の例を挙げておこう。

「どれ（どちら）にしようかな 天の神様のいうとおり 鉄砲撃ってバンバンバン　もひとつうってバンバンバン」
「どちらにしようかな 裏の権兵衛（奈良の大仏）さんに聞いたらよくわかる　プッとこいてプッとこいてプップップ」

〔資料Ⅱ-7〕

39. *Ramène tes moutons*
おまえの羊たちを連れ戻せ

1. La plus jolie à mon gré,
Je vais vous la présenter,
Nous lui f'rons passer barrière,
Ramèn' tes moutons, bergère,
Ramèn', ramèn', ramèn' donc tes moutons
À la maison.

ぼく好みのもっとも可愛い娘を、
ぼくはあなたたちに紹介しよう、
ぼくたちはこの娘に柵を通り抜けさせよう、
おまえの羊たちを連れ戻せ、羊飼い娘、
連れ戻せ、連れ戻せ、連れ戻せったら、おまえの羊たちを
お家に。

2. La plus charmante à mon gré,
Je vais vous la présenter,
Nous lui f'rons passer barrière,
Ramèn' tes moutons, bergère,
Ramèn', ramèn', ramèn' donc tes moutons
À la maison.

ぼく好みのもっとも魅力的な娘を、
ぼくはあなたたちに紹介しよう、
ぼくたちはこの娘に柵を通り抜けさせよう、
おまえの羊たちを連れ戻せ、羊飼い娘、
連れ戻せ、連れ戻せ、連れ戻せったら、おまえの羊たちを

お家に。

3. La plus aimable à mon gré,
Je vais vous la présenter,
Nous lui f'rons passer barrière,
Ramèn' tes moutons, bergère,
Ramèn', ramèn', ramèn' donc tes moutons
À la maison.

ぼく好みのもっとも愛想のいい娘を、
ぼくはあなたたちに紹介しよう、
ぼくたちはこの娘に柵を通り抜けさせよう、
おまえの羊たちを連れ戻せ、羊飼い娘、
連れ戻せ、連れ戻せ、連れ戻せったら、おまえの羊たちをお家に。

〔資料II-5〕

作詞作曲不詳。歌詞１〜３番で、変わるのは各第１連の羊飼い娘を形容する単語のみ。つまり、この羊飼い娘のすべては、jolie（可愛い）、charmante（魅力的な）、aimable（愛想のいい）と、３つの長所・美質に集約される。一連の羊飼い娘をテーマにしたシャンソンのひとつだが、主人公の「ぼく」が「連れ戻せ、連れ戻せ、連れ戻せったら、羊飼い娘」と連呼しているのは、なぜだろう。「ぼく」が、この娘を「あなたたち」（＝家族？）に紹介する気持ちが急いてのことだろうか？　それとも、こうしたシャンソンにお決まりの夕立が迫っているからだろうか？　はたまた、紹介されることに臆した娘の足が重くなっているからだろうか？……

参考にした童謡絵本〔資料II -5〕からは読み取れないが、いちばん最初が答えのように思う。

踊りながらうたう遊び歌だ。19 世紀フランスのイラスト画家、ルイ = モーリス・ブーテ・ドゥ・モンヴェル（Louis-Maurice Boutet de Monvel,1850-1913）のイラストだと、男の子と女の子が向き合って、両手を繋いで作ったアーチの下を、羊飼い娘役の子どもが、羊を引き連れて通り抜けていく様子が描かれている〔資料⑳〕。生きた羊とは縁遠い現代の都会の子どもたちは、どうして遊ぶのだろう。

参考までに、シャンパーニュ地方（Champagne）オーブ（Aube）県トロワ（Troyes）での遊び方を一例としてあげておこう。歌詞は、以下に記すように一部異なるが、内容は同じだ。

幾人かの子どもたちが、お互い手を繋いで、輪踊りを構成する。うたいながら、時計の針の方向に、歩く速度で進む。最初のセンテンスの最後で、あるひとりの子ども A が指名される。A は、右手を離して輪踊りから離脱する。そして A は、右側にいた 2 人の子どもたちによって作られたアーチの下をくぐりぬける。このようにして、A はほかのすべての子どもたちを引き連れて、時計の針と反対方向に進む。「連れ戻せ、連れ戻せ、連れ戻せったら」ということばとそれに続くことばは、アーチを作る子どもたちが、全部の子どもたちと同じ方向に戻るまで、任意にくり返される。ふたたび輪踊りの形にもどると、改めて時計の針の方向に進みはじめ、新たにひとりの子どもが指名される。こうして、輪踊りとそれにともなう歌は続いていく。〔Cf. 資料⑳〕

La plus gentille à mon gré
Je vais vous la présenter,
En lui faisant passer barrière,
Ramène tes moutons, bergère.
Ra-ra, ramène donc,
Tes moutons, belle bergère,
Ra-ra, ramène donc,
Tes moutons à la maison.

ぼく好みのもっとも可愛らしい娘を
ぼくはあなたたちに紹介しよう、
柵を通り抜けさせて。
おまえの羊たちを連れ戻せ、羊飼い娘。
つ、つ、連れ戻せったら、
おまえの羊たちを、美しい羊飼い娘、
つ、つ、連れ戻せったら、
おまえの羊たちをお家に。

〔資料II-5〕

40. *Scions, scions, scions du bois*
切ろう、切ろう、木を切ろう

Scions, scions, scions du bois
Pour la mère, pour la mère,
Scions, scions, scions du bois
Pour la mère Nicolas.

切ろう、切ろう、木を切ろう
おばさんのために、おばさんのために、
切ろう、切ろう、木を切ろう
ニコラおばさんのために。

〔資料⑪〕

作詞作曲年代不詳。幼児用のコンティーヌ。ジャン＝エデル・ベルティエは、「鋸の遊び歌」(Refrain − Jeu de la Scie) だと書いている。たとえば、お母さんと子どもが向かいあって、右手と右手、左手と左手を繋ぎ、――自然に、繋いだ腕は交叉するだろう、――そして、鋸を挽くように、交互に腕を引っ張りあいながらうたう。動作が簡単なので、子どもは遊びながら、鋸の使い方を自然に覚えるだろう。〔資料⑳〕

ところで、la mère Nicolas の mère だが、話し言葉では、叔母・伯母ではない、一般的な呼称としての「おばさん」を意味する。だからここは、「ニコラおばさん」でいい。シャンソン *La mèr' Michel* も、「ミシェルおばさん」だ〔Cf. 三木原浩史著『フランスの子どもの歌 50 選』(鳥影社) 所収〕。

ただ、『小学館ロベール仏和大辞典』には、「多少とも軽蔑的ないし地方的色合いを帯びた表現」という注が付されている。たしかに、「ミシェルおばさん」のケースでは「多少とも軽蔑的な」意味合いが含まれていたし、この「ニコラおばさん」には「地方的色合い」が感じられる。

ちなみに、Nicolas は Saint Nicolas（聖ニコラ）、つまり、小アジア、リュキアのミラの司教ニコラウス（Nicholaus, 270頃-345? 352?）に由来する名前で、「小児、旅人、学者などの守護聖人とされ、またサンタクロースの物語と結びつけられている」が、その生涯は不明だ〔小学館ロベール仏和大辞典〕。

この歌詞に続けて、最後に次のような２行がつく場合がある〔資料II-7〕。

Scions, scions, scions du bois
Pour la mère, pour la mère,
Scions, scions, scions du bois
Pour la mère Nicolas
Qui a cassé ses sabots
En mille morceaux.

切ろう、切ろう、木を切ろう
おばさんのために、おばさんのために、
切ろう、切ろう、木を切ろう
ニコラおばさんのために
自分の２足の木靴を壊してしまった
粉々に。

En mille morceaux（粉々に）は、よくある誇張表現で、ここでは「まっぷたつに」(en deux）ぐらいのことだろう。がしかし、ニコラおばさんがなぜ木靴を割ったのか、理由がわからない。まして、木材を挽くことが主題の歌に、木靴を割る「おばさん」の行為は、なおさら理解できない。強いて解釈すれば、木材を鋸でふたつに切る行為と、木靴をふたつに割る行為を、イメージとして重ねたともいえる。

いやそうではないだろう。「おばさん」が自ら木靴を壊すことで、「おばさん」には新しい木靴が必要となる。そのためには、木靴用の木材を、新たに鋸で切らなければならない。こうして、歌は最初に戻る：「切ろう、切ろう、木を切ろう／おばさんのために、……」。見事な円環構造をなしているではないか！

*

「木靴」(sabot）で思いだすのが、シャンソン *En passant par la Lorraine*（ロレーヌを通るとき）だ。田舎の百姓娘が、街道で３人の大尉に出会い、木靴を履いた野暮ったさを馬鹿にされるが、本人はまったくめげるところがない、という内容だ〔Cf. 三木原浩史著『フランスの子どもの歌 50 選』(鳥影社）所収〕。

木靴は革靴に比べ、擦り減りにくいし長持ちするしで、貧乏人は重宝する。つまり貧しさの象徴にほかならない。

41. *Sur la route de Dijon*

ディジョンへの途上で

1. Sur la route de Dijon, } (*bis*)
La belle digue dig' la belle digue don }
Il y avait une fontaine
La digue don daine
Il y avait une fontaine
Aux oiseaux ! aux oiseaux !

ディジョンへの途上に、 } (*bis*)
ラ・ベル・ディグ・ディグ・ラ・ベル・ディグ・ドン }
ひとつの泉がありました
ラ・ディグ・ドン・デーヌ
ひとつの泉がありました
鳥たちに！　鳥たちに！

2. Près d'elle un joli tendron } (*bis*)
La belle digue dig' la belle digue don }
Pleurait comme un' Madeleine
La digue don daine
Pleurait comme un' Madeleine
Aux oiseaux ! aux oiseaux !

その泉のそばで、ひとりの可愛い娘が } (*bis*)
ラ・ベル・ディグ・ディグ・ラ・ベル・ディグ・ドン }
さめざめと泣いていた
ラ・ディグ・ドン・デーヌ
さめざめと泣いていた

鳥たちに！　鳥たちに！

3. Vint à passer un bataillon
La belle digue dig' la belle digue don } (*bis*)
Qui chantait à perdre haleine
La digue dondaine
Qui chantait à perdre haleine
Aux oiseaux ! aux oiseaux !

たまたま一大隊がそこを通りかかった
ラ・ベル・ディグ・ディグ・ラ・ベル・ディグ・ドン } (*bis*)
ずっとうたいつづけながら
ラ・ディグ・ドン・デーヌ
ずっとうたいつづけながら
鳥たちに！　鳥たちに！

4. ― Bell', comment vous nomme-t-on ?
La belle digue dig' la belle digue don } (*bis*)
― On me nomme Marjolaine
La digue don daine
On me nomme Marjolaine
Aux oiseaux ! aux oiseaux !

「別嬪さんよ、名はなんというのかね？」
ラ・ベル・ディグ・ディグ・ラ・ベル・ディグ・ドン } (*bis*)
「マルジョレーヌと申します」
ラ・ディグ・ドン・デーヌ
「マルジョレーヌと申します」
鳥たちに！　鳥たちに！

5. ― Marjolaine c'est un doux nom
La belle digue dig' la belle digue don } (*bis*)
S'écria t'un capitaine
La digue don daine
S'écria t'un capitaine
Aux oiseaux ! aux oiseaux !

「マルジョレーヌとは、甘美な名前だ」
ラ・ベル・ディグ・ディグ・ラ・ベル・ディグ・ドン } (*bis*)
隊長が叫んだ
ラ・ディグ・ドン・デーヌ
隊長が叫んだ
鳥たちに！　鳥たちに！

6. ― Marjolaine, qu'avez-vous donc ?
La belle digue dig' la belle digue don } (*bis*)
Messieurs, j'ai beaucoup de peine
La digue don daine
Messieurs, j'ai beaucoup de peine
Aux oiseaux ! aux oiseaux !

「マルジョレーヌよ、いったいどうしたというのだ？」
ラ・ベル・ディグ・ディグ・ラ・ベル・ディグ・ドン } (*bis*)
「兵隊さん、あたし、とっても心を痛めておりますの」
ラ・ディグ・ドン・デーヌ
「兵隊さん、あたし、とっても心を痛めておりますの」
鳥たちに！　鳥たちに！

7. Paraît que tout l'bataillon
La belle digue dig' la belle digue don (*bis*)
Consola la Marjolaine
La digue don daine
Consola la Marjolaine
Aux oiseaux ! aux oiseaux !

どうやら、その大隊のすべての兵士が
ラ・ベル・ディグ・ディグ・ラ・ベル・ディグ・ドン (*bis*)
マルジョレーヌを慰めたらしい
ラ・ディグ・ドン・デーヌ
マルジョレーヌを慰めたらしい
鳥たちに！　鳥たちに！

8. Quand vous pass'rez à Dijon
La belle digue dig' la belle digue don (*bis*)
Allez boire à la fontaine
La digue don daine
Ça consol'ra Marjolaine
Aux oiseaux ! aux oiseaux !

あなたがたがディジョンに行くときには
ラ・ベル・ディグ・ディグ・ラ・ベル・ディグ・ドン (*bis*)
その泉の水を飲みに行きなさい
ラ・ディグ・ドン・デーヌ
そうすればマルジョレーヌを慰めることができるだろう。
鳥たちに！　鳥たちに！

〔資料⑬〕

美しい娘が、ディジョンに通じる街道の泉のそばで泣いている。たまたま通りかかった兵士の一隊が、その別嬪さんを見て、可哀そうだと慰める。多分、娘が心を痛めているのは、同じように出征している恋人を案じてのことだろう。だから、すべての兵士が身につまされ、親身に娘に同情したのだ。ん、……ホントかな？

舞台がディジョンへの途上である理由は、わからない。ディジョンは、かつて権勢をふるったブルゴーニュ公国の都。現在は、フランス中東部に位置する都市で、ブルゴーニュ＝フランシュ＝コンテ地域圏の首府、コート＝ドール県の県庁所在地。なにより、グルメの町として有名だ。

＊

歌詞1番の La belle digue dig' la belle digue don（ラ・ベル・ディグ・ディグ・ラ・ベル・ディグ・ドン）は、調子をつけるための囃子詞（はやしことば）だが、この場合、あえて「(ディジョンへ向かう途上に）美しい障害物、障害物、美しい障害物」と訳すこともでき、不思議と文脈に沿っている。つまり、「美しい障害物」＝「別嬪さん」なのだ。泣いている別嬪さんのせいで、大隊の歩が止まってしまったのだから。

fontaine は、この歌では重要な語だ。もちろん第一義的には「泉」だが、「さめざめと泣くひと」の意もある〔小学館ロベール仏和大辞典〕。従って、歌詞1番3行目及び5行目の「ひとつの泉がありました」には、隠されたもうひとつの意味「さめざめと泣くひとりの娘がいました」を予感させる含意（コノテーション）があるが、それは歌詞2番で早々とわかる。

歌詞2番の tendron には、①子牛の後部の胸部肉、②（植物の）若い芽、③〔古風〕（ふざけて）若い娘、女の子〔小学館ロベール仏和大辞典〕などの意味がある。ここはもちろん、③「若い娘」のこと。

pleurait comme un' Madeleine ／ pleurer comme une Madeleine 「マドレーヌのように泣く→さめざめと泣く、泣きぬれる」の意だ。Madeleine（マドレーヌ）は、福音書にでてくるマグダラのマリア（Marie-Madeleine）のことで、嘆きのマドレーヌとして有名。マルジョレーヌとの語呂合わせもかねている。ちなみに、「マドレーヌ」をキーワードの「泉」で置き換えて、pleurer comme une fontaine（泉のように泣く）と言い換えても意味は同じ、「さめざめと泣く」だ。この歌詞に見る、「娘」と「泉」の取り合わせについては、あとで述べよう。

歌詞３番の à perdre haleine は「息切れするほど、えんえんと、長々と」で、courir à perdre haleine（息せき切って走る）〔小学館ロベール仏和大辞典〕だから、歌中の chantait à perdre haleine は、「えんえんと（ずっと）うたいつづける」の意。

歌詞４番の Marjolaine「マルジョレーヌ」（和名マヨラナ）は、地中海地方産のシソ科の香料植物〔小学館ロベール仏和大辞典〕。30 センチ程度の茂みに育ち、赤みがかった枝に対になった丸く白い葉がつき、初夏には先端に白い花を多数つける香草だ〔資料⑲〕。伝統的に愛の前触れを象徴し、スズランやバラのようにブーケとしても使われるそうだ。

歌詞５番の Marjolaine c’est un doux nom（マルジョレーヌとは、甘美な名前だ）というのは、マルジョレーヌが芳香を放つ香草だから。

ところで、各歌詞最終詩行の Aux oiseaux ! aux oiseaux ! の解釈及び訳は、きわめて難儀だ。aux oiseaux（オ・ゾワゾー）は、直訳すれば「鳥たちに」なので、歌詞対訳では、Aux oiseaux ! aux oiseaux !（オ・ゾワゾー！　オ・ゾワゾー！）を、文脈から独立したセンテンスとみなし、素直に「鳥たちに！　鳥たちに！」と訳した。また、aux oiseaux には、古い熟語で「素晴らしい、完璧な」の意味もあることを忘れるわけにはいかない〔小学館ロベール仏和大辞典〕。

それゆえ、歌唱で、Aux oiseaux ! aux oiseaux ! の箇所にくれば、語調のよい「オ・ゾワゾー！　オ・ゾワゾー！」の音声に、「素晴らしい！　素晴らしい！」の気持ちを重ね、リズミカルにハモらせることが、肝要なのだ。そのとき初めて、象徴としての「鳥たち」と、感情としての「素晴らしい」と、軽快で快適な「リズム」とが三位一体になって、ある真実を露わにするだろう。その真実とは？……、もっとあとになってわかるだろう。

ちなみに、福井芳男著『フランス語で歌いましょう』〔第三書房、1973 年〕のノートには、単純に「特に意味のある句ではありません。リフレインの中で調子がいいことは確かです」と記されている。なのに、なぜか訳は「鳥に向けて」だ。意味のない句だというなら、「オ・ゾワゾー！　オ・ゾワゾー！」と音声訳するだけでいい。景気のいい囃子詞（はやしことば）にもなるし、難問回避のひとつの方策にもなっただろうし。

*

この歌は、17 世紀か 18 世紀頃に作られた行進曲（chanson de route）、それも軍隊行進曲（marche militaire）だ。一聴して節（ふし）は陽気で明るい。別嬪さんが泣いているというのに……。19 世紀に再度知られるようになり、植民地戦争時代には軍隊でよくうたわれたという〔資料⑲〕。娘が出征した恋人の兵士を想って嘆く気持ちは、時代を超えて通底している。

ところで、現在一般には、子ども用の歌としては、歌詞7番は省かれるという。なぜか？　福井芳男著『フランス語で歌いましょう』所収の当該歌でも、歌詞5～7番に相当する部分は紹介されず、ノートには「途中の部分を省略してありますが、これは泣いているマルジョレーヌに同情してみんなが慰めた話になっています」との記述があるのみだ。

がじつは、「慰めた話」の慰め方が問題なのだ。通常の行為なら、歌詞7番「どうやら、その大隊のすべての兵士が／ラ・ベル・ディグ・ディグ・ラ・ベル・ディグ・ドン（*bis*）／マルジョレーヌを慰めたらしい」をあえて伏せる必要もないだろう。

それなのに伏せたということは、「慰めた」という表現が、──それもすべての兵士が「慰めた」という事実が、──じつに意味深長だということを暗示している。

もはや具体的に説明するまでもなかろう。兵士たちによって、娘は凌辱されたのだ。

歌詞2番で、マルジョレーヌが「さめざめと泣いていた」情況を表現するのに、あえて慣用表現「マドレーヌ（マグダラのマリア）のように泣いていた」を使用した、語呂合わせ以外の理由も、これでピンとくる。マグダラのマリアは、イエスに帰依する以前は娼婦で、多くの男に身を任せていたから。

さらに、この「慰めた」を受けた、歌詞8番「あなたがたが、ディジョンに行くときには／……／その泉の水を飲みに行きなさい／そうすればマルジョレーヌを慰めることができるだろう」では、この歌の聴衆全員に「あなたがた」と、いかにも親しげに呼びかけることで、共犯関係を結んでいる。「泉の水」を飲むことで、だれしも「娘」を慰めてやれますよ、と。

それにしても、この「泉の水」の正体は、なんだろう？　純粋な水だとは、だれも思うまい。いや、そもそも「泉」自体、いったいなにを暗示しているのだろうか？

*

「泉」と「娘」の組み合わせは、伝承歌謡にあっては珍しくない。恋人 Pierre に体を許すことを拒んだために、――別ヴァージョンでは、逆に、早々に体を許したせいで、――捨てられて嘆く娘をうたった *À la claire fontaine*（澄んだ泉に）などは、その典型例だ〔Cf. 三木原浩史著『フランスの子どもの歌 50 選』（鳥影社）所収〕。

シャンソン「ディジョンへの途上で」も「澄んだ泉に」も、登場する「泉」は表層的には爽やかなイメージでしかないが、アルフレッド・デルヴォーの『現代エロティック辞典』（*Dictionnaire érotique moderne*, Slatkine Reprints, Genève, 1968）の fontaine（泉）の項には、裏の意味として、La nature de la femme, où s'abreuve l'humanité − altérée de jouissance（人が渇きを癒す女性の性器――享楽に耽って）という説明がされており、作者不詳のシャンソンからの例が挙がっている。

Le vin est inventé pour vous:
Il fait rejaillir la fontaine

Qu'on voit tout le long, le long de la bedaine.
(Chanson anonyme moderne)

ワインはあなたのために作られたもの
それは泉（＝女性の性器）を再び湧きださせるもの
お腹に沿って流れだすのが見える。
(作者不詳の現代の歌)

もうひとつ、デルヴォーはミラボーからの引用も紹介している。やや衒学(げんがく)的すぎるかもしれないが。

Nous fûmes aussitôt tous les trois près d'elle lui faire les caresses qu'elle montrait désirer; à peine avions-nous posé nos mains sur ses fesses, qu'après deux ou trois mouvements de reins, nous l'aperçûmes tourner de l'œil, et nous vîmes couler la fontaine du plaisir. (Mirabeau)

われわれ３人はすぐさま彼女の傍に行き、彼女が望んでいるようにみえた愛撫をしてやった。われわれが彼女の尻に愛撫の手を置くやいなや、２、３回腰を動かした後で彼女が目を回し、快楽で泉（＝彼女の性器）が濡れているのを見た。

このように、「泉」が性的に暗示するものが明解になれば、そこから湧きでる象徴としての「水」の正体も容易に理解できるだろう。「マルジョレーヌを慰める」行為が、いかようであったかは、詳述するほうがヤボだ。

ならば、すでに触れたAux oiseaux ! aux oiseaux ! も、再考し

ておこう。oiseau（鳥）には、じつは話し言葉の隠語として「陰茎，おちんちん」(= petit oiseau）の意味がある〔小学館ロベール仏和大辞典〕。しかもここでは複数形 oiseaux なので、マルジョレーヌはたくさんの陰茎、——大隊のすべての兵士の「男根」、——に取り囲まれたと解釈できよう。

ここに、象徴としての「鳥たち」(oiseaux）が、この歌の節が示すように軽快でリズミカルな動きをするとき、「素晴らしい」(aux oiseaux）という情感は、男女の双方に、意思と無関係に湧きあがるだろう。

このとき、「鳥たちに！　鳥たちに！」と訳した Aux oiseaux ! aux oiseaux ! は、「素晴らしい数々の男根に！　素晴らしい数々の男根に！」乾杯！　……と、祝する独立句になる。

まったく、度を超えた「春歌」だ。元歌どおりに、子どもにうたわせるわけにはいかない。Aux oiseaux ! aux oiseaux ! の裏の意味を隠しとおすには、福井芳男氏のように意味はないと断言し、そのうえで、音声の面白さだけに特化し、「オ・ゾワゾー！オ・ゾワゾー！」と訳しておくのが、無難なのかもしれない。

42. *Sur la route de Louviers*
ルーヴィエへの途上に

1. Sur la route de Louviers (*bis*)
Y avait un cantonnier (*bis*)
Et qui cassait (*bis*)
Des tas d'cailloux (*bis*)
Et qui cassait des tas d'cailloux
Pour mettr' su' l'passag' des roues
ルーヴィエへの途上に (*bis*)
１人の道路工夫がいて (*bis*)
そして粉砕していた (*bis*)
たくさんの砂利を (*bis*)
そしてたくさんの砂利を粉砕していた
車輪の通り道に敷くために

2. Un' bell' dam' vint à passer (*bis*)
Dans un beau carross' doré (*bis*)
Et qui lui dit: (*bis*)
«Pauv' cantonnier» (*bis*)
Et qui lui dit：«pauv' cantonnier
Tu fais un fichu métier !»
１人の美しい女性がたまたま通りかかった (*bis*)
美しい金色の４輪馬車に乗って (*bis*)
そして道路工夫にこういった (*bis*)
「気の毒な道路工夫さん」 (*bis*)
そして道路工夫にこういった「気の毒な道路工夫さん

おまえは辛い仕事をしているのね！」

3. Le cantonnier lui répond： (*bis*)
«Faut qu'j'nourrissions nos garçons (*bis*)
Car si j'roulions (*bis*)
Carross' comm' vous (*bis*)
Car si j'roulions carrosse comm' vous
Je n'casserions point d'cailloux !»
その道路工夫は答えた (*bis*)
「わしは息子たちを養わねばならねぇんで (*bis*)
なぜって、もしわしが乗り回す身分なら (*bis*)
あんたのような４輪馬車を (*bis*)
なぜって、もしわしが乗り回す身分なら、あんたのような4輪馬車を
わしは砂利の粉砕などしていませんぞ！」

4. Cette répons' se fait r'marquer (*bis*)
Par sa grande simplicité (*bis*)
C'est c'qui prouv' que (*bis*)
Les malheureux (*bis*)
C'est c'qui prouve que les malheureux
S'ils le sont c'est malgré eux.
この返答は注目に値する (*bis*)
道路工夫のこのうえない率直さゆえに (*bis*)
それは明かしている (*bis*)
不運なものたちが (*bis*)
それは明かしている、不運なものたちが
不運であるのは、それは意に反してだということを。

〔資料⑦、資料⑬〕

ジャン＝クロード・クランによれば、この歌が「ヴォワ・ドゥ・ヴィル」voix de villeの形で初めてパリに出現したのは、フランス王政復古期（1814-30）〔資料③〕のこと、ピエール・ショメイユはもう少し絞りこんで1820年頃だという。イル＝ドゥ＝フランス（パリ盆地を中心とする旧地方名）で生まれた歌だというが、作詞作曲不詳〔資料⑦〕。タイトルにあるルーヴィエは、現在でいえば、ノルマンディ地方（フランス北西部の旧地方名）ウール県のコミューヌ（自治体）。パリから100キロ、ルーアンから30キロに位置し、いまでも人口2万人に満たない小さな町だ。この歌のできたころは、寒村だっただろう。

ところで、聞きなれない「ヴォワ・ドゥ・ヴィル」voix de villeということばだが、由来は、15世紀に、ノルマンディの風車小屋の親方オリヴィエ・バスラン（Olivier Basselin）がヴォ・ドゥ・ヴィールvaux de Vire（ヴィール渓谷）という歌のジャンルを創始したことにさかのぼる〔資料②〕。ところが、発音の似ている「ヴォワ・ドゥ・ヴィル」voix de ville（街の声）にしばしば聞き間違えられ、さらに時を経るにつれ、「ヴォ・ドゥ・ヴィール」vaux de Vireと「ヴォワ・ドゥ・ヴィル」voix de villeの2語が混交し、パリでは、「ヴォドゥヴィル」Vaudeville（町の渓谷）なる意味不明の呼称に変化した。このことからわかるように、以上3つの表現の内実は、みな同じ、風刺的民衆歌謡のことである。

ヴォドゥヴィルは、パリのポン＝ヌフ（新橋）の上でうたわれ、行商人がその歌集を、町から町、村から村へ、全国各地に広めていった。その旋律は、それぞれの地域で、それぞれ異なった歌詞の旋律として再利用された。これを「タンブル」timbre という。〔資料②〕

ところで、ヴィール（Vire）だが、ノルマンディ地方、カーン（Caen）の南西方向、ヴィール川沿いの郡庁所在地で、13 〜 15 世紀のノートルダム教会がある。そのヴィール川は、全長 118 キロ、ノルマンディ丘陵に源を発し、北流してセーヌ湾に注いでいる。〔小学館ロベール仏和大辞典〕

さて、当該歌だ。金色の豪華な有蓋４輪馬車に乗った貴婦人とプロレタリアの道路工夫が、だれもいないルーヴィエに通じる街道で出会った。馬車の向かう先が、なぜルーヴィエかは問題ではない。問題は、日常では完全に住み分けている、境遇の極端に違う２人が、いや２つの異質な世界が、偶然、交差したことだ。当然、不協和音が生じるだろう。

こうした身分違いの男女が主役として登場する例は、伝承シャンソンのテーマに、ままあることだ。例の「ロレーヌを通るとき」（*En passant par la Lorraine*）もその１つで、通りかかったカッコいい３人の大尉が、たまたま出会った木靴をはいた百姓娘を粗野だとからかうが、百姓娘も負けてはいない。王子さまが愛してくれている、マヨラナの花束を下さったのだからと、見えを切って大尉たちに臆することなく言い返す〔Cf. 三木原浩史著『フランスの子どもの歌 50 選』（鳥影社）所収〕。

シャンソン「ルーヴィエへの途上に」でも、貧しい道路工夫は金持ちの婦人に負けてはいない。「気の毒な道路工夫さん、おまえは辛い仕事をしているのね！」と、同情され蔑（さげす）まれても怯（ひる）まない。すべては、息子たちを、家族を養うためだ。

強者による上からの思慮の足りない温情主義に、弱者は機知と良識のみを武器に立ち向かうのだ、――「もしわしが乗り回す身分なら／あんたのような4輪馬車を／……／わしは砂利の粉砕などしていませんぞ！」――と。もはや婦人は、馬車の窓のカーテンを引いて顔を隠す以外にないだろう。双方、じつに率直で、発言はことばどおり簡明直截、深読みする必要はまったくない。それだけに、文学性はいたって乏しい。

この2人の対話から、持たざる者が持てる者に、真っ向から対峙し打ち勝った例だけに、左翼イデオロギーめいたものを感じないでもないが、アンリ・ドゥ・サン＝シモン（1760-1825）、シャルル・フーリエ（1772-1837）等の空想的社会主義が広まり始めたのは1842年以後のことだ。ちなみにカール・マルクス（1818-83）とフリードリヒ・エンゲルス（1820-95）が『ドイチュ・イデオロギー』を執筆したのは1845～46年。出版されたのは2人の死後だから、現在でいうところの共産主義思想とは無関係だ。フランス革命による下剋上、さらに「自由・平等・友愛」のモットーの影響はあるかもしれないが、それもどうかはわからない。いずれにせよ、「働かざるもの、食うべからず」の教訓を引きだすような、抹香臭いことだけはしないでおこう。

*

ところで、なぜか今日においても、この伝承歌謡の歌詞は完全には定着していないらしい。ジャン＝クロード・クランは、この歌の普及過程を3期に分けている。1885～1890年頃に、キャバレ「シャ・ノワール」Chat Noir の歌い手たちと、アリスティッド・ブリュアン Aristide Bruant (1851-1925) が、パリの民衆歌として再興させた時期。ブリュアンは、この歌をあたかも自作のようにみせかけたという。そのおかげもあって、この歌はふたたび市井で流行し、軍歌・軍隊行進曲のレパートリーに取り入れられたのが世紀末。そして、ユース・キャンプでは熱心な若者たちが、あるいは学校では先生を取り囲んだ小学生たちが、みんなで陽気に合唱するようになった20世紀以降。

そして、21世紀のいま、この歌はさらにどのように変化し、どのように受容されていくのだろうか……。

〔資料Ⅱ-2〕

43. *Sur l'pont du Nord*
ノール橋の上で

Sur l'pont du Nord, un bal y est donné. (*bis*)
Adèle demande à sa mère d'y aller. (*bis*)
Non, non, ma fille, tu n'iras pas danser. (*bis*)
Monte à sa chambre et se met à pleurer. (*bis*)
Son frère arrive dans un bateau doré. (*bis*)
Ma sœur, ma sœur, qu'as-tu donc à pleurer ? (*bis*)
Maman n' veut pas que j'aille au bal danser. (*bis*)
Mets ta robe blanche et ta ceinture dorée. (*bis*)
Et nous irons tous deux au bal danser. (*bis*)
La première danse, Adèle a bien dansé. (*bis*)
La deuxième danse, le pont s'est écroulé. (*bis*)
Mon frère, mon frère, me laiss'ras-tu noyer ? (*bis*)
Non, non, ma sœur, je vais te retirer. (*bis*)
Les cloches de Nantes se mirent à sonner. (*bis*)
La mère demande pour qui elles ont sonné. (*bis*)
C'est pour Adèle et votre fils aîné. (*bis*)
Voilà le sort des enfants obstinés. (*bis*)
Qui vont au bal sans y être invités. (*bis*)

ノール橋の上で、舞踏会が催された。(*bis*)
アデルはお母さんに舞踏会に行きたいという。(*bis*)
ダメ、ダメ、娘や、おまえは踊りに行っちゃダメよ。(*bis*)
アデルは寝室にあがって、泣きはじめる。(*bis*)
アデルのお兄さんが金色の船でやって来る。(*bis*)
妹よ、妹よ、いったいどうして泣いているんだい？ (*bis*)

お母さん、あたしに舞踏会に踊りに行ってほしくないって。(*bis*)
おまえの白いドレスを着て、金色のベルトをお締め。(*bis*)
そしてぼくたちふたりで、舞踏会に踊りに行こう。(*bis*)
最初のダンスを、アデルはとても上手に踊った。(*bis*)
２度目のダンスで、橋が崩れた。(*bis*)
お兄さん、お兄さん、あたしを溺れるままにするおつもり？(*bis*)
いや、いや、ぼくはおまえを引き上げてあげよう。(*bis*)
ナントのすべての鐘が鳴り始めた。(*bis*)
お母さんは尋ねた、だれのためにあの鐘は鳴ったのかと。(*bis*)
それはアデルとあんたの長子のため。(*bis*)
これが聞き分けのない子どもたちの運命さ。(*bis*)
招かれてもいないのに舞踏会に行った子どもたちのね。(*bis*)

〔資料⑦、資料②で２行補筆〕

作詞作曲不詳。*Le pont de Nantes*（ナントの橋）のタイトルでも知られる〔Cf. 資料⑬〕。詩行 12-13 の Mon frère, mon frère, me laiss'ras-tu noyer? ／ Non, non, ma sœur, je vais te retirer.(お兄さん、お兄さん、あたしを溺れるままにするおつもり？／いや、いや、ぼくはおまえを引き上げてあげよう。）は、資料②により補筆した。

ジョルジュ・ドンスィユ（Georges Doncieux）によれば、この歌はフランスのオイル語（langue d'oïl）圏、――中世にロワール川以北で使われていた言語、――特有の歌であり、ナントという地名からすぐにもわかるように、フランス西部でうまれた歌だという。ちなみに、ロワール川以南で使用されていた言語はオック語（langue d'oc）と呼ばれ、オックもオイルもいずれも現代フランス語の oui（はい）にあたる。但し、ドンスィユ版のタイトルは「美しきエレーヌ、または溺れた踊り子」（*La Belle Hélène, ou la danseuse noyée*）で、妹の名はアデルではなくエレーヌだ。

いずれにせよ、使われていることばは近代のものなので、18 世紀以前に遡ることはないだろう。〔Cf. 資料⑰〕ピエール・ショメイユも、18 世紀初めの作としている〔資料⑦〕。

各詩句は、4 音節＋6 音節のリズム分節からなる「10 音節詩句」で、末尾が半階音（assonance）[e] で終わる韻律構造だ。これはもともと「武勲詩」（chanson de geste）固有のもので、この歌の起源が中世の 12 世紀にまで遡ることをうかがわせる〔資料②〕。

10 音節詩句は、12 音節詩句（アレクサンドラン）より歴史が古い。11 世紀の『ロランの歌』*Chanson de Roland* をはじめとする中世の主だった武勲詩は、ほとんどこの 10 音節詩句で書かれているため、英雄詩の詩句（vers héroïques）とも呼ばれている。14 〜 15 世紀になると、あらゆるジャンルの詩に幅広く用いられるようになり、共通詩句（vers communs）と称されるようになった。しかしながら、17 世紀に古典的アレクサンドラン（12 音節詩句）が完成し、主流の座を占めるようになると、しだいに廃れていった。〔Cf. 杉山正樹著『やさしいフランス詩法』白水社〕

＊

それにしても、母親の反対に背いて、橋の上の舞踏会に参加した娘に下った天罰が、橋が崩れ川に落ちての溺死とは、罪と罰のバランスがあまりにも不釣り合いだと思うが、21 世紀の男女の奔放な世界に生きるものの勝手な思いこみだろうか。

同種の内容のシャンソンは、中世以来、各地で、主人公の娘の名と橋の名称を変えて、伝統的にうたいつがれてきた。たとえば、「ノール橋」は主にパリ及びノルマンディ地方でのことだが、低地ブルターニュ地方では「ナント橋」、メッツ周辺やロレーヌ地方では「死者たちの橋」(Le Pont des Morts)、シャンパーニュ地方では「ロンドン橋」というぐあいに。娘の名のほうは、各地方の作詞者の筆まかせで、アニェス Agnès、アデル Adèle、エレーヌ Hélène、そしておなじみのジャネット Jeanette だとかが使われてきた。

民衆の舞踏会は、ひとのよく集まる牧場や広場、あるいは人通りの多い都市の橋の上などで催された。舞台が橋の場合には、とくに十分な幅の広さと堅固さが必要だった。「アヴィニョンの橋の上で／踊っているよ、踊っているよ」で有名な、サン＝ベネゼ橋（Pont Saint-Bénézet）は、今では濁流に流されてその一部しか残っていないが、当時は全長こそ920メートルあったものの、幅4メートルと狭かったため、実際に民衆がファランドールやサラバンドを踊っていたのは、「アヴィニョンの橋の下」の広大なバルテラッサ中洲だった〔Cf. 三木原浩史著『フランスの子どもの歌50選』（鳥影社）所収〕。

後々まで語り継がれることになる1277年のユトレヒトでの舞踏会では、踊っている民衆が聖体顕示行列を通さなかったせいで罰があたり、木製の橋は壊れ、これら冒瀆者たちは川に落ちて溺れ死んだという。メッツ旧市街の例の橋「死者たちの橋」という名称も、それと似たような大惨事に由来するという〔資料②〕。

ところで、たかが舞踏会なのに、母親がかくまで娘に行くのを禁止したのは、古い時代の農村の伝統的な因習に起因する。結婚適齢期の娘は、親が持参金を用意できるまで、自由な行動は許されなかった。しかし、若い娘がダンスに憧れるのはごく自然なことだろう。異性と知りあう絶好の機会だからだ。出会った男女は、リズムにあわせて踊る。体が触れ合うほどに官能的になり、気持ちは高揚し、やがて身も心も全的に開放されていく。それが、なに悪かろう。

いや、それこそがよくないのだ、親にとっては。建前のキリスト教道徳も加担していただろう。既婚の女性の浮気には寛大でも、未婚の女性の性的関係には偏狭だったカトリックの狭さが。そして、娘に言い聞かせるのは、いつだって母親の役目だ。これは、昔もいまも変わらない。

昔もいまも変わらないのは、若者の反抗にしてもそうだ。制止が厳しければきびしいほど、抵抗の度合いも増すだろう。ジャン＝クロード・クランのいう「禁止と違反」(l'interdit et sa transgression) のテーマは、こうしていつしか普遍性を帯び、各地に広まり、うたいつがれていったが、それにしても悲劇的なロンドだ。

*

概ね昔の橋は、その上に木造の家が建っていたために、しばしば火事ですべて焼け落ちたか、あるいは洪水で流されたかしたが、残りつづけている長寿の橋をひとつあげておこう。セーヌ川にかかるパリ最古の橋「ポン＝ヌフ（新橋）」(Pont-Neuf) だ。アンリ3世治政下の1578年に着工、設計はアンドルエ・デュ・セルソー、そして竣工はアンリ4世治政下の1606年。この石橋の堅固さから、être solide comme le Pont-Neuf（[ポン＝ヌフのように] 丈夫である、頑健である）という熟語がうまれたほどである。

ポン＝ヌフは、両側に、家のかわりに幅広い歩道が設けられたパリで初めての橋だった。当初、この橋の上には、橋脚上の半円形になった場所に、種々の露店商や歯科医、タバラン（Tabarin）のような笑劇を演じる大道芸人、イタリア喜劇に登場する役者などの他、娼婦や野次馬も含めたあらゆる類いのひとびとが群がっていた。なかには、時の政府を風刺する辻歌手もいて、フロンドの乱（la Fronde,1648-53）の際には、マザラン（Jules Mazarin,1602-61）を槍玉にあげた反マザラン風刺歌「マザリナード」(mazarinade）を盛んにうたったという。そこから小文字で書く pont-neuf が、「(昔ポン＝ヌフでうたわれていたような）流行歌」という一般名詞にもなった。

〔資料II-6〕

44. *La Tour, prends garde*
塔よ、気をつけろ

歌詞の紹介に先立って、マルタン・ペネの前書きを訳しておこう。

この歌は、一種の小さなドラマ仕立てで、登場人物は、ブルボン公、その息子、大尉、兵卒たち、そして、「塔」を象徴するふたりの姫君だ。

「塔」を象徴する若い娘たちは、手をつないでいる。公はすわっていて、その息子は公のそばにいる。公は衛兵たちに囲まれている。大佐と大尉は「塔」の周囲をぶらぶら歩いている、以下のような歌をうたいながら。

1. **LE CAPITAINE ET LE COLONEL**（大尉と大佐）

La Tour, prends garde (*bis*)
De te laisser abattre.

塔よ、用心なされ (*bis*)
倒されないように。

2. **LA TOUR**（塔）

Nous n'avons garde (*bis*)
De nous laisser abattre.

あたしたち、気をつけていますわ (*bis*)
倒されないように。

3. **LE COLONEL**（大佐）

J'irai me plaindre (*bis*)

Au duc de Bourbon.

わしは、不満を申し立てに行くつもりじゃ　(*bis*)

ブルボン公殿に。

4. **LA TOUR**（**塔**）

Va-t'en te plaindre　(*bis*)

Au duc de Bourbon.

不満を申し立てに行かれるがよい　(*bis*)

ブルボン公殿に。

5. **LE COLONEL ET LE CAPITAINE**　（**大佐と大尉**）

mettant un genou en terre devant le duc

公のまえで地面に膝まずいて

Mon duc, mon prince　(*bis*)

Je viens me plaindre à vous.

我が公よ、我が君よ（*bis*）

拙者は、不満を申し立てに参りました。

6. **LE DUC**（**公爵**）

Mon capitaine, mon colonel,　(*bis*)

Que me demandez-vous ?

我が大尉よ、我が大佐よ　(*bis*)

そちたちは、余になにを望んでおるのだ？

7. **LE COLONEL ET LE CAPITAINE**（**大佐と大尉**）

Un de vos gardes　(*bis*)

Pour abattre la Tour.

殿の衛兵のひとりを (*bis*)

「塔」を倒すために。

8. **LE DUC À UN DE SES GARDES（公が衛兵たちのひとりに）**

Allez, mon garde, (*bis*)

Pour abattre la Tour.

さあ行け、我が衛兵よ (*bis*)

「塔」を倒さんとて。

Le garde se joint aux deux officiers, qu'il suit, et l'on marche autour de la Tour, en chantant:

その衛兵は、つき従っていたふたりの将校に加わり、そして次のように歌いながら、塔の周囲をめぐる。

9. **LE GARDE ET DEUX OFFICIERS（衛兵と２人の将校）**

La Tour, prends garde (*bis*)

De te laisser abattre.

塔よ、用心するがいい (*bis*)

倒されないように。

10. **LA TOUR（塔）**

Nous n'avons garde (*bis*)

De nous laisser abattre.

あたしたち、気をつけていますわ (*bis*)

倒されないように。

11. **LES OFFICIERS ET LE GARDE（将校たちと衛兵）**

revenant au duc

将校たちと衛兵、公の元に戻ってきて

Mon duc, mon prince (*bis*)

Je viens à vos genous.

我が公よ、我が君よ (*bis*)

拙者は殿に懇願しにまいりました。

12. **LE DUC（公爵）**

Mon capitaine, mon colonel (*bis*)

Que me demandez-vous ?

我が大尉よ、我が大佐よ (*bis*)

そちたちは、わしになにを望んでおるのだ？

13. **LES OFFICIERS ET LES GARDES（将校たちと衛兵たち）**

Deux de vos gardes (*bis*)

Pour abattre la Tour.

殿の衛兵の２人を (*bis*)

塔を倒さんとて。

Le même jeu recommence, en demandant trois, quatre, six gardes, selon le nombre des joueurs. On continue la marche, et quand le duc n'a plus de gardes à donner, on revient à lui:

遊んでいる子どもたちの人数に応じて、３人、４人、６人と衛兵を要求していき、同じ遊びが繰り返される。こうして歩きつづけて、公の与える衛兵がもういなくなると、公のもとにふたたび戻る。

14. **LES OFFICIERS ET LES GARDES（将校たちと衛兵たち）**

Mon duc, mon prince　(*bis*)

Je viens à vos genous.

我が公よ、我が君よ　(*bis*)

拙者は殿に懇願しにまいりました。

15. **LE DUC　（公爵）**

Mon capitaine, mon colonel,　(*bis*)

Que me demandez-vous?

我が大尉よ、我が大佐よ　(*bis*)

そちたちは、わしになにを望んでおるのだ？

16. **LES OFFICIERS ET LES GARDES（将校たちと衛兵たち）**

Votre cher fisse　(*bis*)

Pour abattre la Tour.

殿の愛しいご子息を　(*bis*)

塔を倒さんとて。

17. **LE DUC（公爵）**

Allez, mon fisse　(*bis*)

Pour abattre la Tour.

さあ行け、我が息子よ　(*bis*)

塔を倒さんとて。

La Tour refusant de se laisser abattre, la troupe revient et dit:

「塔」は倒されるのを拒んだので、部隊は戻ってきて、そしてこういう。

18. **La Troupe** （**部隊**）

Votre présence (*bis*)

Pour abattre la Tour.

殿のご出馬を (*bis*)

塔を倒さんとて。

19. **LE DUC**（**公爵**）

Je vais moi-même (*bis*)

Pour abattre la Tour.

拙者がいざ出陣じゃ (*bis*)

塔を倒さんとて。

Le duc se met à la tête de ses gardes, il cherche à pénétrer dans la Tour, en forçant les deux jeunes filles à séparer leurs bras; chacun essaie l'un après l'autre, et celui qui parvient à abattre la Tour est proclamé duc à la place de l'autre.

公は衛兵たちの先頭に立ち、「塔」のなかに侵入しようとする、ふたりの娘の腕を無理やり引き離そうとして。みなが次々に試みて、「塔」を倒すことのできたものが、他のものに代わり、我こそが公爵であるぞと声高に叫ぶ。

〔資料⑬〕

マルタン・ペネによれば、16世紀初め頃の作だという〔資料⑬〕。作詞作曲不詳。また、資料②には、18世紀の「ルイ15世時代の狩りの曲にのせてうたう」とある。子どもにも理解できるような平易な「対話風シャンソン」(chanson dialoguée) で、仕草・物真似を伴うロンドだ〔資料②〕。

とすると、当初の旋律が、18 世紀に「狩りの曲」に利用されたということだろうか。ただ、歌詞には歴史的事実が反映しているという。以下、資料②ほかを参照しつつ、おおよそを辿ってみよう。

歌中のブルボン公（Duc de Bourbon）は、シャルル・ドゥ・ブルボン３世（Charles III de Bourbon,1490-1527）がモデルだそうだ。フランソワ１世（François Ier, 在位 1515-47）は、このシャルルが、1515 年、イタリアのマリニャーノ（Marignano）、――現在のメレニャーノ（Melegnano）、ミラノの南東 16 キロのところ、フランス語ではマリニャン（Marignan）、――の戦いで軍功をあげたことから、軍最高指揮官（Connétable de France）に任じた。この役職は、12 ～ 17 世紀に設けられた大元帥のことで〔ディコ仏和辞典（白水社）〕、これは大法官（chancelier）と並ぶ国王の最高補佐官であったが、1627 年に廃止された〔小学館ロベール仏和大辞典〕。

シャルルは、1505 年、従妹のシュザンヌ・デュ・ブルボン（Suzanne du Bourbon,1491-1521）と結婚し、モンパンシエ伯爵から公爵になり、同時に、ブルボン家のふたつの領地（オーヴェルニュとブルボネの２地方）を所有することになった。1521 年に妻が亡くなると、シュザンヌから遺贈されたブルボン家の所領（ブルボネ）に関して、フランソワ１世の母ルイーズ・ドゥ・サヴォワ（Louise de Savoie, 1476-1531）が、自分にこそ相続の優先権があると主張しだした。解決策として、シャルルに自分との結婚を申し出た。シャルルが拒否すると、フランソワ１世が強引にその所領を没収した。シャルルは激怒し、この所領をどうしても手に入れたがっていた敵方、神聖ローマ帝国皇帝カール５世

(Charles Quint,1500-58) に接近、密約を結び、祖国を敵に回して公然と戦った。

この裏切りのせいで、1525年、パヴィ (Pavie)、――現在のフランス西南部ジェール (Gers) 県のコミューヌ、――を前にして、フランス軍は敗北を喫し、フランソワ１世はカール５世の捕虜となり、スペインのマドリッドの「塔」に幽閉された。当時の哀歌（嘆き節）を資料②から、孫引きしてみよう。

Le l'ont pris l'ont amené
Dans la grand-tour de Madrid.
La Tour est haute et carrée
Jamais le soleil n'y luit.

彼は捕らえられ、連行された
マドリッドの大きな塔のなかに。
その四角い「塔」は高く聳(そび)え
決して日の光は射さなかった。

人称代名詞３人称男性形単数 l' を、一応、直訳して「彼」としておいた。この４行だけでは、だれかは不明だが、実際には、「フランソワ１世」を仄めかしているのだろう。

とすると、シャンソン「塔よ、気をつけろ」の「塔」の象徴は「フランソワ１世」で、そして、攻めている公爵はもちろんシャルル・ドゥ・ブルボン３世ということになる。

それにしても、歌では、「塔」を象徴しているのは「若い娘さん」だ。なのに、フランス王とはいえ、攻める相手が男では、色気がない。マルタン・ペネ版の指定どおり、女性を「塔」になぞらえるとすれば、フランソワ１世の母ルイーズとシャルル・ドゥ・ブルボン３世との相続権争いに喩えた方が、ぴったりではないか？……、私見にすぎないが。

＊

ところで後日談だが、フランソワ１世は、1527年にカール５世とマドリッド条約を結び、釈放された。だがすぐに条約の不履行を宣言し、同年、カール５世に宣戦布告。カール５世はフランスと組んだ教皇クレメンス７世を攻略するため、件のシャルルを指揮官にローマに侵攻した。その際、教皇はサンタンジェロ城に逃げ込んだ。シャルルは自ら陣頭に立って戦ったが、城にかけた梯子を上っている最中に、撃たれ、絶命したという〔資料⑲〕。堅固な城を「塔」に置き換えれば、シャンソンの「拙者がいざ出陣じゃ／塔を倒さんとて」と、自ら先陣を切る公爵の気概を、番外編として、ここに見ることも可能だろう。

それにしても、古い歌のモデル探しには、いつも限界を感じる。たいてい、諸説あるし……。そして、突き詰めたところで、意味がないことが多い。なぜなら、歌自身が、時代を経て、その着想源と無関係な独立した（独創的な？）世界を作り上げているからだ。

最後に、結論としていえば、16世紀の争いごとなど、歌の鑑賞に影響しない。なぜなら、このシャンソンは、一般論として、「塔」攻略になぞらえた「女性」攻略の困難さ、難攻不落さを嘆きうたっていると解釈したほうが身につまされるからだ。これが真のモティーフだと、確信している。

＊

このものまね輪踊り（ronde mimée）の現在の実際のやり方を、簡単に記しておこう。まず、１人、あるいは数人の子どもが「塔」

役になる。もう1グループが、公爵、その息子、衛兵たちの役になる。大佐が、交互に、公爵と塔に語りかける。公爵の最後の応答「拙者がいざ出陣じゃ／塔を倒さんとて」で、子どもたちは、懸命に防衛している塔を打ち倒そうとする。勝利者が、われこそ公爵なりと宣言し、遊びは最初からまたくり返される。〔資料②〕

＊

なお、注意すべきフランス語を、記しておこう。

歌詞1番の prendre garde à qn / qc は、「(ひと／もの）に注意を払う、用心する」。なお、熟語で prendre garde de ne pas + 不定詞で「〜しないように気をつける」と、ふつうは前置詞 de 以下の不定詞は否定形に置かれるが、この歌のように prends garde de te laisser abattre というふうに否定形になっていないのは、古風な言い回しだからだ。

歌詞2番の n'avoir garde de 不定詞は、「〜しないように細心の注意を払う、〜しないように気をつける」〔プチ・ロワイヤル仏和辞典（旺文社)〕。

歌詞16、17番の fisse は、fils（息子）に同じ。

〔資料Ⅱ-4〕

45. *Une araignée sur le plancher*
1 匹のクモが床で

Une araignée
Sur le plancher
Se tricotait des bottes;
Un limaçon
Dans un flacon
Enfilait sa culotte.
Je regarde au ciel:
Une mouche à miel
Pinçait sa guitare;
Les rats tout confus
Sonnaient l'angélus
Au son de la fanfare.

1 匹のクモが
床で
自分の長靴を編んでいた。
1 匹のカタツムリが
小瓶のなかで
半ズボンを急いではこうとしていた。
ぼくは空を見つめる。
ミツバチが
ギターを爪弾いていた。
ネズミたちは入り乱れ
アンジェラスを告げていた
ラッパを吹き鳴らして。

〔資料Ⅱ-7〕

作詞作曲年代不詳。動物たちが登場するコンティーヌ。小さな子どもたちは、それぞれの動物たちに固有の所作・動作をまねながら楽しく踊りうたい、小さな動物たちの名前、——クモ、カタツムリ、ミツバチ、ネズミ、——を、しっかりと覚えるだろう。

ネバネバした糸をだして巣をはるクモの特異な習性は、その糸で「自分の長靴を編む」イメージに容易に結びつく。カタツムリは常時殻を被っているが、ここでは小瓶がその表象だ。また、ミツバチのブンブンいう羽音は、たしかにギターの弦音を連想させるだろう。すばしっこく、こざかしいネズミたちがワイワイガヤガヤ集まって、「アンジェラス」（お告げの祈り）を「ラッパ」を吹き鳴らして知らせる様子も滑稽だ。YouTubeの動画では、ラッパ以外に、ちゃんと「鐘」を鳴らしているものもある。鐘になぞらえたのか、大きな「鈴」を振っているネズミの映像もある。最終詩行の末尾の語 fanfare は、ふつうはラッパ（clairon）かトランペット（trompette）の音をさすが、正式には「教会の鐘の音」がアンジェラスを知らせるわけだから、ネズミの鳴らす楽器が、ラッパでも鐘でも鈴でも、どれであってもいい。

なお、「アンジェラス」はフランス語では「アンジェリュス」（angélus）といい、カトリックにおける「大天使ガブリエルの聖母マリアへの受胎告知」を記念する祈りのことだ。angélus（語源は教会ラテン語 angelus「天使」）ということばではじまり、朝方6時・正午・夕方6時の3度、教会の鐘の音とともに唱える。また、信者たちにこの時刻を告げる鐘、つまり「お告げの鐘」そのものをさすこともある。réciter l'angélus で「お告げの祈りを唱える」、sonner l'angélus で「お告げの鐘を鳴らす」を意味する。

リズミカルなこのささやかなシャンソンは、ものまねと踊りを伴うだけに、ハロウィン（Halloween、または Hallowe'en）の夕べを活気づけるのに最適との説もある〔資料⑳〕。

〔資料 II -7〕

46. *Un petit bonhomme assis sur une pomme*
リンゴの実の上にすわった男の子

Un petit bonhomme
Assis sur une pomme.
La pomme dégringole,
Le petit bonhomme s'envole
Sur le toit de l'école.

男の子がひとり
リンゴの実の上にすわっている。
そのリンゴの実が落下し、
男の子は飛んでいく
学校の屋根の上に。

〔資料II-7〕

幼児用のコンティーヌ。ある資料によれば、作詞はバルベイ(L. Barbey)で1940年頃の作とあるが、作曲は不詳。また、カナダ産との説もある。〔Cf. 資料⑳〕

主人公は un petit bonhomme としか書かれていない。『小学館ロベール仏和大辞典』の mon petit bonhomme の項には、親愛感をこめて使う「坊や」の意と記されている。そこで、ここでの petit bonhomme にも、優しい眼差しを注ぎつつ、「男の子」の訳語をあてておこう。

ともあれ、木の上のリンゴの実にすわっていた男の子が、風に吹かれ落下するリンゴとは裏腹に、重力に逆らい、まるで鳥のように空を飛翔し、学校の屋根の上まで飛んでいったというのだから、爽快だ。ピーターパンのことを思い浮かべるひともいるだろう。学校好きも学校嫌いも、こんな登校の仕方なら、楽しくならないはずがない。

重力といえば、ニュートンが万有引力の法則を発見したのも、偶然、「リンゴの落下」を目にしたから、との言い伝えは有名だ。その「リンゴの木」の苗木は、現在、科学に関係した世界各地の施設に植えられているが、その子孫の木が1661年から1665年までニュートンが在籍したケンブリッジのトリニティー・カレッジ正門の右側にあり、多くの観光客を集めている。

〔資料II-7〕

47. *Le vieux chalet (Là-haut sur la montagne)*

1軒の古い山小屋（あの山の上のほうに）

1. Là-haut sur la montagne
L'était un vieux chalet; } (*bis*)
Murs blancs, toit de bardeaux,
Devant la porte un vieux bouleau.
Là-haut sur la montagne
L'était un vieux chalet.

あの山の上のほうに
古い山小屋が１軒あった。 } (*bis*)
白い壁、屋根は板ぶき、
戸口の前には１本の古いシラカバ。
あの山の上のほうに
古い山小屋が１軒あった。

2. Là-haut sur la montagne
Croula le vieux chalet; } (*bis*)
La neige et les rochers
S'étaient unis pour l'arracher.
Là-haut sur la montagne
Croula le vieux chalet.

あの山の上のほうにあった
古い山小屋が崩壊した。 } (*bis*)
雪と岩が
いっしょになって山小屋をもぎ取ってしまった。
あの山の上のほうにあった

古い山小屋が崩壊した。

3. Là-haut sur la montagne,
Quand Jean vint au chalet; } (*bis*)
Pleura de tout son cœur
Sur les débris de son bonheur.
Là-haut sur la montagne
Quand Jean vint au chalet.

あの山の上のほうにあった
山小屋に、ジャンがやって来たとき、 } (*bis*)
ジャンは心から悲しんだ
自分の幸福の残骸を目の当たりにして。
あの山の上のほうにあった
山小屋に、ジャンがやって来たとき。

4. Là-haut sur la montagne
L'est un nouveau chalet; } (*bis*)
Car Jean d'un cœur vaillant
L'a rebâti plus beau qu'avant.
Là-haut sur la montagne
L'est un nouveau chalet.

あの山の上のほうに
いまでは、新しい山小屋が建っている。 } (*bis*)
ジャンが勇気を奮って
前よりも美しい山小屋を建て直したからだ。
あの山の上のほうに
いまでは、新しい山小屋が建っている。

作詞はジョゼフ・ボヴェ神父（abbé Joseph Bovet,1879-1951）だ。20世紀前半の1929年作なので、歌詞のことばは新しい。作曲も同人だが、穏やかな旋律はスイスに古くから伝わるメロディに基づいている。しかも、キーワードのchaletがスイスのフランス語使用地域（スイス・ロマンド）の単語なので、すぐにもスイスアルプスの「山小屋」が主題だとわかる〔Cf. 小学館ロベール仏和大辞典〕。シャンソン「私のノルマンディ」（*Ma Normandie*）でも、chalet（スイスの山小屋）という単語が使われていた〔本書p.190〕。

歌詞1番：四季折々に美しいアルプスを背景にした、1軒の古い山小屋が目に浮かぶ。一幅の風景画を心静かに眺めているような気持ちにさせられる。

toit de bardeauxは、「(柿(こけら)) 板ぶき屋根」のこと。また、bouleauは、カバノキ科カバノキ属の総称。カバノキ、シラカバなど。〔小学館ロベール仏和大辞典〕

歌詞2番：だが、山小屋も古びた。風雪に耐える限界を超えて、雪崩によってこの山小屋は一気に倒壊してしまう。愛着を抱いていたものには、衝撃だ。

歌詞3番：いつも変わらずそこにありつづけた山小屋は、幸福の、平安の象徴だった。それが崩れた。衝撃は悲嘆に変わった。Pleura de tout son cœur / Sur les débris de son bonheurは、「ジャンの幸福の象徴であった山小屋の残骸を（目の当たりにして）、心から嘆き悲しんだ 」という意味。pleurer sur qc/qnで「〜を嘆く、悲しむ」。

歌詞4番：以前の幸福と平安を取り戻すためには、あの山小屋をそっくり新しく建て直すしかない。そして、再建はなされた。

心の拠り所である山小屋への愛着が、率直に吐露されてはいるが、それだけのこと。「山小屋」が、すぐにも「人生」、――「生と死と再生」、――に、容易になぞらえることができるだけに、凡庸な詩だが、素直に読めば（聴けば）、どこにも政治性もイデオロギーもない。そこだけは、いい。なのにジャン＝クロード・クランによれば、この歌詞を、初出の10年後、第2次世界大戦勃発とともに、まったく正反対の2方向に都合よく歪めて解釈する傾向が生まれたという。「山小屋」が、人生ではなく、「国」に喩えられる不幸な時代を迎えたのだ。

あるものは、歌中の山小屋再建者「ジャン」を、1940年にナチス・ドイツの占領により成立したフランスのヴィシー政権において、フィリップ・ペタン元帥が提唱した政治思想「フランス国民革命」(Révolution Nationale)、――「自由・平等・友愛」にかわる「労働・家族・祖国」、――のなかに位置づけて理解しようとした。

またあるものは、歌詞全体から、なかでも歌詞4番「ジャンが勇気を奮って／前よりも美しい山小屋を建て直したからだ」の文言から、祖国フランスがナチスの軛（くびき）から解放された暁に、自分たち、とくに若者たちに期待される任務、つまり国の再建を思い浮かべたという。ドイツ軍占領地域解放への希望とレジスタンスの勝利の歌として、読み取ったのだ。ピエール・ショメイユによれば、占領下フランスで大ヒットしたこの歌をうたう際には、国歌と同じように、起立してうたう習慣さえ生まれたという〔資料⑦〕。

だが、滑稽なことに、いや悲しむべきことといおうか、「国土解放」(Libération) 後、立場の相反する双方が、このシャンソン「1軒の古い山小屋」を、学校や青少年団体でうたう歌のレパートリーに競って取りいれた。結果は明白だ。最終的に1970年頃には、この歌は、どちらのレパートリーからも消えてしまったそうだ。〔資料③〕

この歌の受容において留意すべきは、後天的な歌詞の読み替えだ。この歌の成立が第2次世界大戦勃発(1939年)の10年も前のことだから、「山小屋」を戦時下の「国家」に、また崩壊の元凶になった「雪や岩」をナチスの砲弾や侵攻に、さらに「幸福の残骸」をドイツ占領下の、狭くは我が故郷に、広くは我がフランスに、そして最後の「新しい山小屋」の再建を、戦後の故郷、あるいは祖国フランスの復興になぞらえようとしているが、それらはすべて、後付けの解釈にすぎない。同じような理由で、歌中の「ジャン」が誰かの詮索もあるようだが、やめておこう。歌の解釈に余計な夾雑物(きょうざつぶつ)が入りこむだけだから。ただ、「某氏」では体温が伝わらない。一応、「ジャン」という名前をつけたことで、実在感がうまれ、親しみやすくなったことは事実だ。

後付け解釈の捏造といえば、1868年の初版時点では純粋に恋の歌でしかなかったシャンソン「サクランボの実るころ」*Le temps des cerises*(ジャン=バティスト・クレマン作詞、アントワーヌ・ルナール作曲)を、1871年のパリ・コミューヌ後にパリの民衆が、コミューヌ壊滅直前の熾烈だった「流血の1週間」の記憶に重ね、この歌をコミューヌ哀悼歌に読み替えてしまったのに、似ていなくもない。作詞者クレマンまでが、後にその風潮に便乗したのは、いただけないが……。

48. *Vive la rose et le lilas*
バラとリラ万歳

1. Mon amant me délaisse, Ô gai ! vive la rose !	(*bis*)
Je ne sais pas pourquoi, Vive la rose et le lilas !	(*bis*)
あたし、恋人に捨てられたの、 オ、ゲ！　バラ万歳！	(*bis*)
あたし、理由がわからないの、 バラとリラ万歳！	(*bis*)
2. Il va-t-en voir une autre, Ô gai ! vive la rose !	(*bis*)
Qu'est plus riche que moi, Vive la rose et le lilas !	(*bis*)
あのひと、ほかの女(ひと)に会いに行くの、 オ、ゲ！　バラ万歳！	(*bis*)
あたしよりお金持ちなの、 バラとリラ万歳！	(*bis*)
3. On dit qu'elle est plus belle, Ô gai ! vive la rose !	(*bis*)
Je n'en disconviens pas, Vive la rose et le lilas !	(*bis*)
ひとがいうには、あたしよりも美しいって、 オ、ゲ！　バラ万歳！	(*bis*)

あたし、そのこと否定しないわ、
バラとリラ万歳！ (*bis*)

4. On dit qu'elle est malade,
Ô gai ! vive la rose ! (*bis*)
Peut-être elle en mourra,
Vive la rose et le lilas ! (*bis*)
あのひと、病気だって噂だけど、
オ、ゲ！　バラ万歳！ (*bis*)
多分、死んじゃうわ、
バラとリラ万歳！ (*bis*)

5. Mais si ell' meurt dimanche,
Ô gai ! vive la rose ! (*bis*)
Lundi on l'enterr'ra,
Vive la rose et le lilas ! (*bis*)
日曜日に死ねば、
オ、ゲ！　バラ万歳！ (*bis*)
月曜日に埋葬ね、
バラとリラ万歳！ (*bis*)

6. Mardi i'r'viendra m'voir,
Ô gai ! vive la rose ! (*bis*)
Mais je n'en voudrai pas,
Vive la rose et le lilas ! (*bis*)
火曜日にはあのひとあたしに会いに戻ってくるわ、
オ、ゲ！　バラ万歳！ (*bis*)

でも、あのひとなんかまっぴらごめんよ、 } (*bis*)
バラとリラ万歳！ }

〔資料⑬〕

現在うたわれている歌詞は、18 世紀の作品。ロンドだ。作詞作曲不詳。*Vive la rose*（バラ万歳）とか、*Mon amant (ami) me délaisse*（あたし、恋人に捨てられたの）、*La méchante*（意地悪娘）などのタイトルでも知られている。19 世紀には、アングーモワ（Angoumois）からフランシュ＝コンテ（Franche-Comté）に至るいくつかの地方でうたわれていた。〔資料③〕

男に肘鉄を食わせる女（娘）がテーマのシャンソンは、たぶん、少ない。このシャンソンでも、まずは娘の方が恋人の男性にふられる。通常、こういうケース、メランコリックな旋律にのせて、メソメソうたうのがふつうだろうが、豈（あに）はからんや、ここに登場した娘、じつに見栄っ張りで執念深く復讐心が強い。恋人が心変わりした「理由がわからない」といいながら、その実、よくわかっている。彼氏を奪った相手は、自分より美しくて金持ちの娘なのだ。美と財力を備えた女性に抗せるものはいない、男も女も。それだけに元カノの嫉妬心は肥大するだろう。あの女、病気だって噂、日曜日に死んだら月曜日に埋葬ね、火曜日には元カレきっとあたしのもとに戻ってくるわ、でも絶対許さない、今度は、あたしのほうからふってやる、と。夢想の世界で、恋敵の娘を葬り去り、男にも三行半（みくだりはん）を突きつけている。

ただ、どうだろう、額面どおりには受け取れない。決意表明は表向きのプライドからで、じっさいには、やっぱりあたしのところに戻ってきてくれたのね、と迎え入れる可能性もある。生き残ったあたしが勝ちよ、といわんばかりに。その根拠は、つねに「バラ万歳！」Vive la rose（＝バラが生きつづけますように！）のフレーズが鳴り響いているからだ。

「バラ」は、こうした伝承歌謡ではつねに「愛の花の隠喩……そして禁断の木の実の象徴」〔資料③〕だ。禁断の木の実がなにを暗示しているかは、察しがつくだろう。また、「リラ」にしても同様、「青春、初恋、春を表す」花ゆえに〔イメージ・シンボル事典（大修館書店）〕、バラの意味するところを補強している。「バラとリラ万歳！」（＝バラとリラが生きつづけますように！）と。

事実、「バラ」はアプロディーテー（ヴィーナス）に結びつけられ、絵画の「ヴィーナスの誕生」の場面では、女神の属性・象徴として、必ずバラの花が添えられる。ボッティチェリ（Sandro Botticelli, 1444 頃 -1510）の同名の名画を思いだそう。海の泡から誕生したヴィーナスが、大きな貝殻に乗って海を渡ってくる。その画面の左上では、西風ゼピュロスが、ヴィーナスにバラの花びらを吹きかけているではないか。

このアプロディーテーの息子が、愛の神「エロース」Éros であり、「性愛」の象徴だ。「バラ」rose が Éros のアナグラムであることを、忘れないでおこう。

ところで、ジョルジュ・ドンスィユ（George Doncieux）によれば、シャンソン「バラとリラ万歳」のルフラン Ô gai！vive la rose！／ Vive la rose et le lilas！（オ、ゲ！　バラ万歳！／バラとリラ万歳！）の lilas（リラ）は、「この歌の古さからするとあまりに新しすぎる名詞」で、元々は Vive la rose et le damas！（バラとダマ万歳）だったという。このダマ（ダマスク）は、16

世紀においては、中世にオリエントからもたらされたいくつかの植物を表した言葉で、プラム、ブドウ、そして特に一種のアラセイトウ（giroflée）を指していたという〔資料⑰〕。そこに、スモモも加わるようだ〔ロワイヤル仏和中辞典（旺文社）〕。

それが、16 世紀後半になって、リラがトルコからウイーンに〔資料⑰〕、ついでフランスにもたらされたそうだ。とたんに、一般に認知度の低かったダマ（ダマスク）にリラが取って代わり、件のルフランも Vive la rose et le damas ! から、Vive la rose et le lilas ! に変わってしまった。結果として、バラとダマ（ダマスク）、――つまり花と実の並列が、――バラとリラ、――つまり花と花の並列に、――移行したのである。そのほうが自然だろうし。栄枯盛衰はひとの世に限らない、花や実の世界にあっても同様のようだ。

〔資料Ⅱ-3〕

49. *Y avait dix filles dans un pré (Nous étions dix filles dans un pré)*

牧場に 10 人の娘がいた（わたしたちは牧場の 10 人の娘）

1. Y avait dix filles dans un pré,
   Toutes les dix à marier:
   Y avait Dine,
   Y avait Chine,
   Y avait Claudine et Martine,
   Ah ! ah !
   Catherinette et Catherina;
   Y avait la belle Suzon,
   La duchesse de Monbazon;
   Y avait Madeleine;
   Puis y avait la Du Maine.

   牧場に 10 人の娘がいた。
   10 人ともみな適齢期だった。
   ディーヌがいた、
   シーヌがいた、
   クロディーヌとマルティーヌがいた、
   ああ！　ああ！
   それにカトリネットとカトリナが、
   美しいシュゾンがいた、
   モンバゾン公爵夫人がいた、
   マドレーヌがいた、
   それからデュ・メーヌ公爵夫人がいた。

2. Le fils du roi vint à passer,
Toutes les dix a salué:
Salut à Dine,
Salut à Chine,
Salut à Claudine et Martine,
Ah ! ah !
Catherinette et Catherina;
Salut à la belle Suzon,
La duchesse de Montbazon;
Salut à Madeleine;
Baiser à la Du Maine.

そこに王子が通りかかった、
王子は 10 人みなに挨拶した。
こんにちはディーヌ、
こんにちはシーヌ、
こんにちはクロディーヌにマルティーヌ、
ああ！　ああ！
それにカトリネットとカトリナ、
こんにちは美しいシュゾン、
それにモンバゾン公爵夫人、
こんにちはマドレーヌ、
デュ・メーヌ公爵夫人にはキスをした。

3. À toutes il fit un cadeau,
À toutes il fit un cadeau:
Bague à Dine,
Bague à Chine,

Bague à Claudine et Martine,
Ah ! ah !
Catherinette et Catherina;
Bague à la belle Suzon,
La duchesse de Montbazon;
Bague à Madeleine;
Diamant à la Du Maine.

王子は 10 人の娘全員にプレゼントをした、
王子は 10 人の娘全員にプレゼントをした。
ディーヌに指輪を、
シーヌに指輪を、
クロディーヌとマルティーヌに指輪を、
ああ！　ああ！
カトリネットとカトリナにも、
美しいシュゾンに指輪を、
モンバゾン公爵夫人にも、
マドレーヌにも指輪を、
デュ・メーヌ公爵夫人にはダイヤモンドを。

4. Puis il leur offrit à souper,
Puis il leur offrit à souper:
Pomme à Dine,
Pomme à Chine,
Pomme à Claudine et Martine,
Ah ! ah !
Catherinette et Catherina;
Pomme à la belle Suzon,

La duchesse de Montbazon;
Pomme à Madeleine;
Gâteau à la Du Maine.

それから王子は娘たちに食べ物を振る舞った、
それから王子は娘たちに食べ物を振る舞った。
ディーヌにリンゴを、
シーヌにリンゴを、
クロディーヌとマルティーヌにリンゴを、
ああ！　ああ！
カトリネットとカトリナにも、
美しいシュゾンにリンゴを、
モンバゾン公爵夫人にも、
マドレーヌにリンゴを、
デュ・メーヌ公爵夫人にはケーキを。

5. Puis il leur offrit à coucher,
Puis il leur offrit à coucher:
Paille à Dine,
Paille à Chine,
Paille à Claudine et Martine,
Ah ! ah !
Catherinette et Catherina
Paille à la belle Suzon,
La duchesse de Montbazon;
Paille à Madeleine;
Beau lit à la Du Maine.

それから王子は娘たちに寝床を与えた、

それから王子は娘たちに寝床を与えた。
ディーヌに藁の寝床を、
シーヌに藁の寝床を、
クロディーヌとマルティーヌに藁の寝床を、
ああ！　ああ！
カトリネットとカトリナにも、
美しいシュゾンに藁の寝床を、
モンバゾン公爵夫人にも、
マドレーヌに藁の寝床を、
デュ・メーヌ公爵夫人には美しい臥所(ふしど)を。

6. Puis toutes il les renvoya,
Puis toutes il les renvoya,
Renvoya Dine,
Renvoya Chine,
Renvoya Claudine et Martine,
Ah ! ah !
Catherinette et Catherina;
Renvoya la belle Suzon,
La duchesse de Montbazon;
Renvoya Madeleine;
Et garda la Du Maine.
それから王子は娘たちを帰らせた、
それから王子は娘たちを帰らせた。
ディーヌを帰らせた、
シーヌを帰らせた、
クロディーヌとマルティーヌを帰らせた、

ああ！　ああ！
カトリネットとカトリナも、
美しいシュゾンを帰らせた、
モンバゾン公爵夫人も、
マドレーヌを帰らせた、
そしてデュ・メーヌ公爵夫人は引きとめた。

〔資料⑬〕

作詞作曲不詳。歌詞に17世紀、18世紀の実在の貴婦人が登場するから、ここに紹介した歌詞は、アンリ・ダヴァンソンが引き合いにだすジェラール・ドゥ・ネルヴァル（Gérard de Nerval,1808-55）の推測どおり、18世紀初頭のものだろう〔資料①〕。

ただ元歌は、ダヴァンソンによれば、1547年出版のある歌集のなかに、現今の歌詞と同じ筋書きとテンポをもち、フランスの歌の模倣としか思えないスペインの歌が収められているので、16世紀まで遡れるとしている〔資料①〕。

一見、罪のない無邪気なコンティーヌで、往時の貴婦人たちを賛美したバラードだ。そのことは、歌詞の一部から窺える。

まず、モンバゾン公爵夫人（la duchesse de Montbazon, 1610-57）だが、実在の人物で、ブルターニュの貴族、マリ・ダヴォグール（Marie d'Avaugour)、またの呼称マリ・ドゥ・ヴェルテュ（Marie de Vertus）のこと〔資料①〕。吝嗇(りんしょく)でとおっていたが，その見目麗しい美貌は、同時代人から古代の彫刻美にたとえられ、当時のすべての年代記作家に取りあげられている。ただ、色恋と陰謀にたけた生臭い女性でもあり、ルイ13世やマザランによって、宮廷から遠ざけられた。じっさい、ガストン・ドルレアンやロングヴィル公爵の情婦だった。また、1643年8月下旬に、ボフォール公爵フランソワ・ドゥ・ヴァンドーム（François de Vendôme, duc de Beaufort, 1616-69）と、シュヴルーズ公爵夫人マリ・ドゥ・ロアン（Marie de Rohan, duchesse de Chevreuse, 1600-79）が中心になり、当時の多くの大貴族Grandsたちも荷担した「重鎮たちの陰謀」La cabale des Importantsのヒロインだったともいわれている。〔Cf. 資料⑲〕

デュ・メーヌ（Du Maine）も実在の人物で、デュ・メーヌ公爵夫人（la duchesse du Maine,1676-1753）のことだ。大コンデ（Grand Condé,1621-86）の孫娘で、コンデ公（prince de Condé,1643-1709）の娘だ。ルイーズ=ベネディクト・ドゥ・ブルボン（Louise-Bénédicte de Bourbon）と名づけられた。

1692年に、ルイ14世（LouisXIV,1638-1715）とモンテスパン夫人（Madame de Montespan,1640-1707）との間に生まれた長男で、生後3年目の1673年に認知された私生児bâtard légitimé、デュ・メーヌ公爵ルイ=オーギュスト・ドゥ・ブルボン（Louis-Auguste de Bourbon, duc du Maine,1670-1736）と結婚、デュ・メーヌ公爵夫人となる。

1700年12月、デュ・メーヌ公爵夫人は、夫が買い取ったソー城château de Sceauxに移り住み、翌年、18世紀を迎えると、自らが主催するサロンを開いた。なお、ソーは、現在のイル＝ドゥ＝フランス地域圏オ=ドゥ=セーヌ県のコミューヌで、パリから南西9.8キロのところに位置している。

ソー城の庭では、「偉大なる夜」grandes nuitsと称する祝祭や仮装舞踏会が催され、松明のあかりのもとで、即興劇が演じられた。こうして「ソーの宮廷」La cour de Sceauxは、太陽王の翳(かげ)

りとともに衰退し陰鬱なムードが漂うようになったヴェルサイユ宮殿に取って代わり、「繊細な情事と軽快な優雅さの殿堂」となった。デュ・メーヌ公爵夫人は、オルレアン公フィリップの摂政時代を経て、自身が没する1753年まで、ソー城の夜会を主催し続けたが、当時の一流の文人や知識人、たとえばヴォルテール、モンテスキュー、ダランベールなどが集っていたという。〔Cf. 資料⑲〕

他の女性名も、17世紀、18世紀のころのだれかを仄めかしている可能性もあるが、よくわからない。ただ不思議なのは、このシャンソン、建前では10名の適齢期の「娘」を対象にしているとしながら、そのなかに、モンバゾン公爵夫人、デュ・メーヌ公爵夫人と、既婚者がふたりもいることだ。ともに、浮名を流した実在の女性だから、年齢・身分にかかわりなく、実質的な結婚適齢期に入れようという皮肉だろうか？　18世紀フランス宮廷の貴族の娘、夫人たちの放埒（ほうらつ）な実態を愉快にうたっている。

*

この歌から、ブラッサンスの「エクトールの女房」（*La femme d'Hector*）を、ふと思いだした。理由は、歌詞を見ればわかるだろう。

En notre tour de Babel
Laquelle est la plus bell'
La plus aimable parmi
Les femm's de nos amis
Laquelle est notre vraie nounou
La p'tit' sœur des pauvres de nous

Dans le guignon toujours présente
Quelle est cette fée bienfaisante

われらのバベルの塔のなかで
だれが一番美しかろう
だれが一番愛らしかろう
われらの友たちの女房のなかで
だれがわれらの真の乳母だろう
貧しいわれらの愛しい恋人はだれ
不幸のさなかにいつも現れる
あの恵み深い仙女はいったいだれ

C'est pas la femm' de Bertrand
Pas la femm' de Gontran
Pas la femm' de Pamphile
C'est pas la femm' de Firmin
Pas la femm' de Germain
Ni cell' de Benjamin
C'est pas la femm' d'Honoré
Ni cell' de Désiré
Ni cell' de Théophile
Encore moins la femme de Nestor
Non c'est la femm' d'Hector.

それはベルトランの女房じゃない
ゴントランの女房でもない
パンフィルの女房でもない
フィルマンの女房でもない
ジェルマンの女房ともちがう

バンジャマンの女房でもなければ
オノレの女房でもない
デジレの女房でもなければ
テオフィルの女房でもない
ネストールの女房でもさらさらない
いいや、それはエクトールの女房さ

ブラッサンスが、伝承歌謡「牧場に 10 人の娘がいた」を意識して作詞したかどうかはわからないが、歌詞の構成はよく似通っている。もっとも、登場するのは女性名ではなく、夫の名前ばかりだが、他人（＝友たちの）の女房の品定めというブラッサンス流のイロニーが感じとれるだろう。

ところで、「牧場に 10 人の娘がいた」では王子の心を捉えたのはデュ・メーヌ公爵夫人だったが、ブラッサンスのこの歌では、意中の奥方は femme d'Hector（エクトールの女房）だ。エクトールは、ギリシャ語のヘクトール（Hektor）で、トロイア（トロイ）王プリアモスとヘカベーの長子の名前に由来する。トロイア戦争での最大の勇者だが、最終的にはアキレウス（Achil(l)eus）に殺される。妻はアンドロマケー（Andromache）で、ホメロスの「『イーリアス』（*Ilias*）では典型的な貞淑な妻として描かれている」〔ギリシア・ローマ神話辞典（岩波書店）1972 年、下線筆者〕。ラシーヌの『アンドロマック』（*Andromaque*）でも、その貞淑な妻ぶりが表現されている。

とすれば、引用最後の一句「それは、エクトールの妻さ」に、ブラッサンスの憧れる女性、――意中の奥方、――が窺えるかもしれない。

50. *Dame Tartine*
タルティーヌ婦人

便宜上、歌詞ごとに必要と思われる〔注〕を付したが、参考にしたのは『小学館ロベール仏和大辞典』『ロワイヤル仏和中辞典（旺文社）』『プチ・ロワイヤル仏和辞典（旺文社）』『ディコ仏和辞典（白水社）』等だが、出典・引用を逐一明記することは避けた。お許し願いたい。

1. Il était une dame Tartine
Dans un beau palais de beurre frais.
La muraille était de praline,
Le parquet était de croquets,
La chambre à coucher
De crème de lait,
Le lit de biscuit,
Les rideaux d'anis.

昔々タルティーヌ婦人というひとがいましたとさ
新鮮なバターでできた美しい宮殿に。
城壁はプラリーヌ製で、
フローリングの床はアーモンド入りクッキー、
寝室は
乳皮で、
ビスケットのベッドに、
アニスキャンディーのカーテン。

〔注〕

tartine：ジャムやバターをぬって食べる薄切りパン。

praline：プラリーヌ（こんがり焼いたアーモンドにカラメル状

の砂糖をからめたボンボン、この菓子を考案した料理人の雇主 Praslin 公爵［1598-1675］の名から）。

parquet：寄せ木張り（フローリング）の床。

croquet(s)：(薄い）アーモンド入りクッキー。

crème de lait：(熱した牛乳にできる）乳皮。

biscuit：①ビスケット、クッキー　②［保存用の］乾パン。

anis：①［植物］アニス（実を香料にする）　②アニスキャンディー（= bonbon à l'anis)。

2. Quand ell' s'en allait à la ville,
Elle avait un petit bonnet,
Les rubans étaient de pastilles,
Et le fond de bon raisiné;
Sa petit' carriole
Était d'croquignoles,
Ses petits chevaux
Étaient d'pâtés chauds.

タルティーヌ婦人が町にでかけるときは、
小さな縁なし帽をかぶりました、
リボンは水玉模様のドロップ製で、
帽子の山は美味しいブドウジャム。
タルティーヌ婦人の小さな2輪馬車は
クロキニョルでできていて、
タルティーヌ婦人の小馬は
温かいパテでできていました。

〔注〕

pastille(s): ①（円く平たい）ドロップ、キャンディー　②［服飾］水玉模様。

fond：①（縁なし帽の）クラウン、（帽子の）山　② fond de chapeau（帽子の）裏地。

raisiné：ブドウジャム。ヨウナシやマルメロなどを加えてブドウ汁で作るマーマレード。

croquignoles：クロキニョル（小麦粉・砂糖・卵白でつくるクッキー）。

pâté(s)：パテ（①すり身にした肉・魚などのパイ皮包み　②型に詰めて焼き上げたレバー、肉などのすり身）。

3. Elle épousa Monsieur Gimblette
Coiffé d'un beau fromage blanc.
Son chapeau était de galette,
Son habit était de vol-au-vent.
Culotte en nougat,
Gilet de chocolat,
Bas de caramel,
Et souliers de miel.

タルティーヌ婦人はジャンブレット氏と結婚しました。
ジャンブレット氏はフロマージュ・ブランで髪をセットし、
帽子はガレット製で、
燕尾服はヴォロヴァンでできていました。
ヌガー製の半ズボンに、
チョコレート製のチョッキ、
カラメル製の靴下に、
そしてハチミツ製の短靴。

〔注〕

gimblette：リング状のクッキー。王冠形をしたアーモンド風味の小さい菓子。

fromage blanc：フロマージュ・ブラン（北フランスから南ベルギーが原産のフレッシュチーズ）。

galette：①ガレット。小麦粉、バター、卵を原料にオーブンで焼いた丸く平たいケーキ。galette des Roi は、1月6日の公現祭 Épiphanie の祝い菓子（その日の集いで、丸い大きなケーキを分け、なかにそら豆または陶器の人形がはいっていたひとが、王または王妃として主役になる）。②主としてブルターニュ地方のソバ粉で作った塩味のクレープ。

vol-au-vent：ヴォロヴァン（鶏・魚のクリーム煮などを詰めたふた付きのパイ）。

nougat：ヌガー（砕いたアーモンドやクルミの入った砂糖菓子）。

caramel：カラメル（シロップを褐色に煮詰めたもので料理や菓子に使う）。

4. Leur fille, la belle Charlotte,
Avait un nez de massepain,
De superbes dents de compote,
Des oreilles de craquelin.
Je la vois garnir
Sa robe de plaisirs
Avec un rouleau
De pâte d'abricots.

ふたりのあいだに生まれた美しい娘シャルロットは、
マスパンの鼻をしていて、

美しい見事な歯はコンポートで、
両耳はクラクラン。
シャルロットが身につけているのは
円錐型ウエハースのドレスに
めん棒で引き延ばした
アンズのゼリー。

〔注〕

charlotte：シャルロット（丸い型の内側にビスケットや食パンを敷きつめ、そのなかに果物・クリームなどをいれて作るデザート）。

massepain：マスパン（刻みアーモンド・砂糖・卵白で作る小さなクッキー）。

compote：コンポート（果物のシロップ煮、compote de pomme リンゴのコンポート）。

craquelin：クラクラン（嚙むと、かりかり・ぱりぱり音のする焼き菓子）。

plaisirs：（古）プレズィール（円錐型ウエハース）［= oublie：ウーブリ（円錐型ゴーフル）］。

rouleau：［料理に使う］めん棒。étendre la pâte au rouleau 生地をめん棒で延ばす。

pâte：①（小麦粉を練った）生地、種　②ペースト状（練り状）のもの。pâte d'amandes アーモンドペースト、pâte de fruits フルーツゼリー、pâte de coings マルメロのゼリー。

abricot(s)：アンズ（の実）。

5. Le joli prince Limonade,
Bien frisé, vint faire sa cour,

Cheveux garnis de marmelade
Et de pommes cuites au four;
Son royal bandeau
De petits gâteaux
Et de raisins secs
Portait au respect.

ハンサムなレモネード王子が、
きれいな巻き毛をして、シャルロットを口説かれた、
王子の髪の毛は飾られていた、マーマレードと
オーブンで焼いたリンゴで。
王子はバンド式の王冠を
プチガトーと
干しブドウでできていたが
恭しく(うやうや)被っていた。

〔注〕

limonade：（古）レモネード、水で割ったレモンジュース。
faire sa cour：faire la cour à qn（女性）に言い寄る、口説く、（ひとに）取り入る、ご機嫌をとる。
marmelade：マーマレード、marmelade d'orange オレンジマーマレード。よく煮込んだジャム。
petits gâteaux：プチガトー（ビスケット・クッキーの類）。
royal bandeau：古代の鉢巻状王冠。
raisins secs：干しブドウ。

6. On frémit en voyant sa garde
De câpres et de cornichons,
Armés de fusils de moutarde

Et de sabr' en pelur' d'oignons;
Pralin's et fondants
S'avancent en rangs,
Et les petits fours
Battent du tambour.

みんな震えている、王子さまの衛兵を見て
ケーパーとピクルスでできていたけど、
武器はといえば、芥子(からし)鉄砲と
タマネギの薄皮製のサーベル。
プラリーヌとフォンダンは
横隊で前進し、
そしてプチフールが
太鼓をたたく。

〔注〕

câpre(s)：①フウチョウボク（câprier）の蕾。　②ケーパー（フウチョウソウ科低木ケーパーの蕾の酢漬け、香味料としてドレッシングに使う）。

cornichon(s):［酢漬け用］小キュウリ、ピクルス。

moutarde：カラシ、マスタード。

pelur'= pelure：［果物・野菜をむいた］皮。～ d'oignon(s) タマネギの薄皮。

pralin'(s) = praline(s)：プラリーヌ（アーモンドに糖衣をかけたボンボン）、［ベルギーでは］チョコレートボンボン。

fondant(s)：フォンダン（①シロップを練ってペースト状にしたもので菓子の糖衣に使う　②糖衣をかけたボンボン［= bonbon fondant］）。

petit(s) four(s)：プチフール、小型（ひと口）菓子。petit four

sec［マカロンなどの］クッキー、petit four frais［小さなシュークリームなどの］小型ケーキ。

7. Sur un grand trône de brioches
Charlotte et le roi vont s'asseoir,
Les bonbons sortent de leurs poches
Depuis le matin jusqu'au soir;
Les petits enfants,
Avant tout gourmands,
Se montrent ravis
D'être ainsi servis.

大きなブリオッシュの玉座に
シャルロットと王様がお座りになられる、
ふたりのポケットからは、キャンディーがでてくる
朝から晩まで。
小さな子どもたちは、
なにはさておき食いしん坊で、
大喜びの様子だ
こんなふうにふんだんにお菓子をもらえて。

〔注〕
brioche(s)：ブリオッシュ（丸い形をしたパン菓子の一種）。
bonbon(s)：キャンデー、ボンボン（砂糖や飴を主体とするひと口大の菓子）。

8. Mais hélas ! La fée Carabosse,
Jalouse et de mauvaise humeur,
Renversa d'un coup de sa bosse

Le palais sucré du bonheur.
Pour le rebâtir,
Donnez à loisir,
Donnez, bons parents,
Du sucre aux enfants.

しかし、悲しいかな！意地悪な仙女カラボスが、
妬(ねた)み、不機嫌になり、
背中のこぶの一撃でひっくり返してしまった
幸福の甘い宮殿を。
その宮殿を再建するには、
好きなだけお与えなさい、
お与えなさい、よき両親たちよ、
子どもたちに砂糖を。

〔注〕

fée Carabosse：カラボス、醜く不快な老婆、鬼ばば（おとぎ話に登場する年老いた邪悪で醜い仙女で、背中に大きなこぶのある典型的なせむし）〔Cf. 資料⑱〕。

à loisir：好きなだけ、心ゆくまで。

〔資料⑬〕

作詞作曲不詳、19 世紀半ば頃の作。この世紀は、じつによく飲みよく食べた。その結果、ありとあらゆる種類の舌なめずりしたくなるような美味(おい)しいお菓子の一覧が登場する歌を残してくれた。それは、グルメ（gourmet、食通・美食家）にとっても、グルマン（gourmand、大食・食いしん坊）にとっても無上の悦楽だっただろうが、今日の私たちにとって、その料理用語を理解するのはかなりむつかしい。味覚となると、なおさらだ。

タイトル「タルティーヌ婦人」（*Dame Tartine*）の「タルティーヌ」（tartine）は、「ジャムやバターをぬって食べる薄切りパン」〔プチ・ロワイヤル仏和辞典（旺文社)〕のこと。バゲット、パン・ドゥ・カンパーニュ、クロワッサン、——日本なら、食パンでもいい、——をスライスし、ジャムやバターや蜂蜜をぬって食べる。それ以外に、野菜やチーズやハム、あるいはマッシュポテトやサーモンなどをのせてもいい。オープンサンドもどきで、豪華な感じになる。フランスのふつうの家庭では、朝食にタルティーヌと大きな碗になみなみと注いだカフェオレを食するのが一般的だ。

ちなみに、「パン切れにジャムやバターをぬる」を 1 語でいうなら、動詞 tartiner をつかう。丁寧に「タルティーヌにジャム（バター）をぬる」というときは、étaler de la confiture［du beurre］sur une tartine といえばいい。

タイトルの「タルティーヌ婦人」は、もちろん擬人化だが、歌詞 3 番でジャンブレット（Gimblette）氏と結婚するから、「タルティーヌ夫人」と訳してもいいかもしれない。

フランスの法律家・政治家で、なにより美食家だったブリア＝サヴァラン（Brillat-Savarin,1755-1826）が、『味覚の生理学（邦題：美味礼讃)』（*Physiologie du Goût*）で、食事に関する考察を、——美食案内ではない、ゆめゆめ間違うことなかれ、——出版したのは 1825 年のこと、19 世紀にはいってからだ。

この書の冒頭の警句集「本書の序文となる、また美味学の永遠の基礎となる、教授のアフォリスム」（*Aphorismes du professeur pour servir de prolégomènes à son ouvrage et de base éternelle à la science*）には、ブリア＝サヴァランの機知に富んだ20の警句がのっている。特に有名な一句が、4番目のDis-moi ce que tu manges, je te dirai ce que tu es.（どんなものを食べているか言ってみたまえ。君がどんな人であるかを言いあててみせよう）だ。訳文は、関根秀雄・戸部松実訳『美味礼賛（上）』（岩波文庫、1967年）から。

バルザックによれば、これらの警句は、グルメたちの間で、まるで格言か諺のように広まったという。世間でも、さぞかし美食論に花が咲いたことだろう。

そして、このシャンソンができたのも、19世紀も半ばごろだ〔資料⑧〕。フランス人の食への情熱とこだわりは、そのまま20世紀に受け継がれ、21世紀の今日に至っている。

まったく、フランスの子どもたちにとっては、歌っているだけで生唾がでてくるような甘いものだらけの歌で、空想しながらたっぷり堪能できる。そして、実行に移さないかぎりは、糖分の過剰摂取で虫歯になったり、糖尿になったり、心臓や肝臓を患ったりする心配はない、ご安心を！

〔資料II-2〕

参考文献資料

以下にあげるもので、本文中に引用あるいは参照した際には、I欄については〔資料①〕〔資料②〕のように、II欄については〔資料II-1〕〔資料II-2〕のように明記した。但し、原則として頁は明示していない。

I. フランス語文献資料

① Henri Davenson, *Livre des Chansons ou Introduction à la Chanson Populaire Française*, Éditions de la Baconnière, Neuchâtel, 1944.

② Martine David, Anne-Marie Delrieu, *Aux Sources des Chansons Populaires*, Belin, Paris, 1984.

③ Jean-Claude Klein, *Florilège de la Chanson Française*, Bordas, Paris, 1989.

④ Simonne Charpentreau, *Le Livre d'or de la Chanson Française, tome 1*, Les Éditions Ouvrières, Paris, 1971.

⑤ Simonne Charpentreau, *Le Livre d'or de la Chanson Française, tome 2*, Les Éditions Ouvrières, Paris, 1972.

⑥ Simonne Charpentreau, *Le Livre d'or de la Chanson Française, tome 3*, Les Éditions Ouvrières, Paris, 1975.

⑦ Roland Sabatier, *Le Livre des Chansons de France 1*, Texte de Pierre Chaumeil, Illustrations de Roland Sabatier, Gallimard, Paris, 1984.

⑧ Claudine et Roland Sabatier, *Le Livre des Chansons de France et d'ailleurs 2*, Texte de Jeanne Hély et Anne Lemaire (pour les chansons françaises), Illustrations de Claudine et Roland Sabatier, Gallimard, Paris, 1986.

⑨ Claudine et Roland Sabatier, *Le Livre des Chansons de France 3*, Texte de Anne Bouin, Illustrations de Claudine et Roland Sabatier, Gallimard, Paris, 1987.
⑩ Pierre Saka, *La Chanson Française à travers ses succès*, Larousse, Paris, 1995.
⑪ Jean Edel Berthier, *Chansons de Partout*, Éditions Berthier Valmusic, Paris, 1991.
⑫ Marc Robine, *Anthologie de la Chanson Française*, Albin Michel, Paris, 1994.
⑬ Martin Pénet, *Mémoire de la Chanson, 1200 chansons de Moyen-Âge à 1919*, Omnibus, Paris, 2001.
⑭ Martin Pénet, *Mémoire de la Chanson, 1200 chansons de 1920 à 1945*, Omnibus, Paris, 2004.
⑮ *Chants et chansons populaires de la France*, 3 vol., réédition de l'édition originale parue à Paris en 1843, Éditions d'Art Philippe Auzou, Paris, 1984.
⑯ *Chansons populaires des provinces de France*, notices par Champfleury, Accompagnement de piano par J.-B. Wekerlin, Fac-similé de l'édition Garnier Frères, Paris, première édition : Bourdillat et Cie, 1860, Ressouvenances, 2010.
⑰ George Doncieux, *Le Romancéro populaire de la France, choix de chansons populaires françaises*, Textes critiques par George Doncieux, avec un avant-propos et un index musical par Julien Tiersot, Paris, Librairie Émile Bouillon, 1904.
⑱ Pierre Larousse, *Grand dictionnaire universel du XIXe siècle*, Lacour, Libraire- Éditeur-Imprimeur, 1990-1991.
⑲ Internet（Wikipédia）

⑳ Internet（Wikipédia 以外）

㉑ Comptines de toujours, Coffret 4 CD 128 Comptines, DEVA Jeunesse.（発売年記載なし）

㉒ Philomène Irawaddy : Anthologie des Comptines et Chansons de France, Coffret 4 CD 150 titres, Cine Nomine, 2018.（フィロメーヌ・イラワディは、ジャズヴォーカリスト、作曲家）

II．フランスの楽譜付き童謡集

1. J. M. Guilcher, *Rondes et Jeux Dansés*. Flammarion, Paris, 1956.

2. *Mon premier livre de chansons,* Larousse, Paris, 1989.

3. *Chantons et dansons,* illustrations de Jacqueline Guyot, Éditions G. P., Paris, 1983.

4. *Nos Vieilles Chansons,* illustrées par Jean A. Mercier, Gallimard Jeunesse, 1993.

5. *Chansons d'hier et d'aujourd'hui,* illustrées par Jean A. Mercier, Gallimard Jeunesse, 1993.

6. *Rondes et Chansons de France,* illustrées par Monique Gorde, Lito, Champigny-sur-Marne, 1995.

7. *Comptines et chansons de France,* illustrées par Monique Gorde, Lito, Champigny-sur-Marne, 1995.

III．邦語参考文献

1. 福井芳男著『フランス語で歌いましょう』〔第三書房、1973 年〕

2. 三木原浩史著『シャンソンはそよ風のように』〔彩流社、1996 年〕

3. 三木原浩史著『シャンソンの四季・改訂増補』〔彩流社、2005 年〕

4. 三木原浩史著『シャンソンのメロドラマ』〔彩流社、2008 年〕

5. 石澤小枝子・高岡厚子・竹田順子・中川亜沙美共著『フランスの

子ども絵本史』〔大阪大学出版会、2009 年〕
6. 三木原浩史著『シャンソンの風景』〔彩流社、2012 年〕
7. 三木原浩史著『シャンソンのエチュード　改訂版』〔彩流社、2016 年〕
8. 三木原浩史著『すみれの花咲く頃、矢車菊の花咲く時』〔鳥影社、2017 年〕
9. 石澤小枝子・高岡厚子・竹田順子共著『フランスの歌いつがれる子ども歌』〔大阪大学出版会、2018 年〕
10. 三木原浩史著『フランスの子どもの歌 50 選－読む楽しみ－』〔鳥影社、2021 年〕

Ⅳ. 訳書参考文献

ピエール・サカ著『シャンソン・フランセーズ　その栄光と知られざる歴史』〔永瀧達治監修・訳、講談社、1981 年〕

あとがき

吉田正明さんとは、共著をだしたいと思っていた。理由は、20年前にさかのぼる。

わたしがシャンソン・フランセーズについての論考を執筆しはじめたのは、大阪教育大学に勤務していた30代のころだったが、50代になっても、この領域への考察は「ひとり旅」に近かった。
そんな折、信州大学人文学部仏文分野に2度も集中講義に招かれた。そして、当時助教授だった19世紀フランス詩の研究者吉田正明さんが、NHK文化センター松本教室で、シャンソン・フランセーズの訳読を兼ねた歌唱指導をしているのを知った。
2002年12月1日、思い立って松本に向かい、吉田さんに「シャンソン研究会」立ち上げの提案をした。きわめて具体的に。場所は、いまは存在しない駅前の東急ホテルのロビーだった。シャンソン・フランセーズという、日仏の講壇アカデミズムが研究対象としない未知の広大な領域を、仲間とともに歩んでみたいという願望からだった。
吉田さんからは、即、快諾を得た。こうしてひとり旅は、「ふたり旅」になった。それだけではない、わたしが来松すると聞き、わざわざ同席してくれていた京大仏文科同窓2名が、みずから入会を申しでてくれた、——「研究会には人数も必要だろう」と。そう、必要だ。ふたり旅は、瞬時に4人旅になった。嬉しかった。

それが、20年後のいま、約130名からなる旅行団に成長した。メンバーは、フランス文学、フランス言語学・音声学、フランス史、音楽学ほかの研究者、シャンソン歌手、ショウビジネス関係者、シャンソンコンクール主催者、そして一般愛好家等々、様々な人びとから成っている。会費は無料、年2回の「研究発表会」(春は関西の大学、秋は信州大学)、年1回の「シャンソン・フランセーズ研究」誌発行など、活動は地道で、着実だ。

話を元にもどせば、こうした経緯をふりかえるにつけ、改めて20年前の2002年12月1日の初心が忘れ難く、吉田さんとの共著出版への思いに繋がった。それが、今回、『フランスの子どもの歌II 50選 —読む楽しみ—』で、実現したというわけだ。

以上の文章が、「あとがき」にふさわしいかどうか、よくわからない。「はじめに」は三木原が、「あとがき」は吉田さんがと、役割分担を考えていたが、吉田さんの意向もあり、どちらもわたしが書くことになった。

最後に、この出版を快く引き受けてくださいました鳥影社社長百瀬精一氏、及び、編集部の宮澤りか氏、矢島由里氏、カバーデザイナーの吉田格氏、カバーイラストを描いて下さった永田和香子氏にも、厚くお礼申し上げます。

(文責・三木原)

2022年12月吉日

古都奈良の一隅にて、　三木原 浩史

城下町松本の一隅にて、　吉田 正明

〈著者紹介〉

三木原　浩史（みきはら　ひろし）

1947年　神戸市生まれ。
1977年　京都大学大学院文学研究科博士課程仏語学仏文学専攻中退。
経　歴　大阪教育大学教育学部助教授、
神戸大学大学院国際文化学研究科教授を経て、
現在は、神戸大学名誉教授。シャンソン研究会顧問。
浜松シャンソンコンクール（フランス大使館後援）名誉審査委員長
専　門　フランス文学・フランス文化論。
著　書『フランスの子どもの歌50選』（鳥影社、2021年）
『すみれの花咲く頃、矢車菊の花咲く時』（鳥影社、2017年）
『改訂版シャンソンのエチュード』（彩流社、2016年）ほか多数。
論　文　シャンソン・フランセーズ、ロマン・ロランに関するもの多数。
訳　書　ロマン・ロラン『ピエールとリュス』（鳥影社、2016年）ほか。

吉田　正明（よしだ　まさあき）

1957年　米子市生まれ。
1986年　広島大学大学院文学研究科博士後期課程単位取得後退学。
経　歴　広島大学文学部助手、信州大学人文学部助手、助教授を経て、
現在は、信州大学人文学部教授。シャンソン研究会代表。
長野日仏協会会長。東京シャンソンコンクール審査委員
専　門　フランス文学・フランス文化論。
論　文「フランスの子ども歌の誕生」（『シャンソン・フランセーズ研究』第13号所収、2021年）
「ガストン・クテとその時代」（『信州大学人文科学論集』第8号所収、2021年）
「19世紀フランス詩への民衆歌の影響」（『信州大学人文科学論集』第7号所収、2019年）
「ベルエポックとシャンソン―カフェ・コンセールのスターたち―」
（『広島大学フランス文学研究』第31号所収、2012年）
その他、19世紀フランス詩、シャンソン文化史に関するもの多数。

フランスの子どもの歌Ⅱ 50選
― 読む楽しみ ―

2023年1月15日初版第1刷発行
著　者　三木原 浩史／吉田 正明
発行者　百瀬 精一
発行所　鳥影社 (www.choeisha.com)
〒160-0023　東京都新宿区西新宿3-5-12トーカン新宿7F
電話　03-5948-6470, FAX 0120-586-771
〒392-0012　長野県諏訪市四賀 229-1（本社・編集室）
電話 0266-53-2903,　FAX 0266-58-6771
印刷・製本　モリモト印刷

ISBN978-4-86265-995-8　C0073